#교과서×사고력
#게임하듯공부해
#스티커게임?리얼공부!

Go! 매쓰
초등 수학

GO! 매쓰 저자 소개

저자 김보미

- 네이버 대표카페 '성공하는 공부방 운영하기' 운영자
- '미래엔', '메가스터디', '천재교육' 교재 기획 및 집필
- 전국 1,000개 이상의 공부방/선생님 컨설팅 및 교육
- 현재 〈GO! 매쓰〉 수학 공부방 운영

Chunjae
Makes
Chunjae

▼

기획총괄	김안나
편집개발	이근우, 김정희, 서진호, 한인숙, 최수정, 김혜민, 박웅
디자인총괄	김희정
표지디자인	윤순미
내지디자인	박희춘, 이혜미
제작	황성진, 조규영

발행일	2021년 1월 15일 2판 2022년 2월 15일 2쇄
발행인	(주)천재교육
주소	서울시 금천구 가산로9길 54
신고번호	제2001-000018호
고객센터	1577-0902
교재 구입 문의	1522-5566

GO! 매쓰

Run-C

교과서 사고력

수학 2-1

구성과 특징

1_{주차} 교과 집중 학습

1 교과서 개념 완성

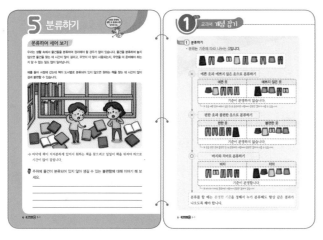

재미있는 수학 이야기로 단원에 대한 흥미를 높이고, 교과서 개념과 기본 문제를 학습합니다.

2 교과서 개념 PLAY

게임으로 개념을 학습하면서 집중력을 높여 쉽게 개념을 익히고 기본을 탄탄하게 만듭니다.

3 문제 풀이로 실력 & 자신감 UP!

한 단계 더 나아간 교과서와 익힘 문제로 개념을 완성하고, 다양한 문제 유형으로 응용력을 키웁니다.

4 서술형 문제 풀이

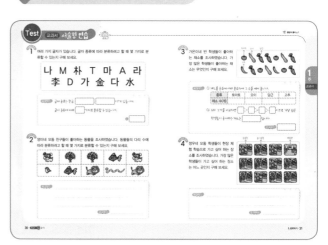

시험에 잘 나오는 서술형 문제 중심으로 단계별로 풀이하는 연습을 하여 서술하는 힘을 높여 줍니다.

2 주차 사고력 확장 학습

1 사고력 PLAY

교과 심화 문제와 사고력 문제를 게임으로 쉽게 접근하여 어려운 문제에 대한 거부감을 낮추고 집중력을 높입니다.

2 교과 사고력 잡기

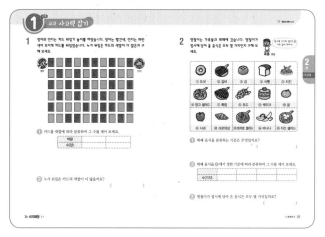

문제에 필요한 요소를 찾아 단계별로 해결하면서 문제 해결력을 키울수 있는 힘을 기릅니다.

3 교과 사고력 완성

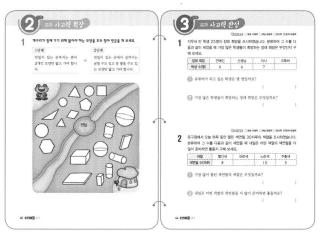

틀에서 벗어난 생각을 하여 문제를 해결하는 창의적 사고력을 기를 수 있는 힘을 기릅니다.

4 종합평가 / 특강

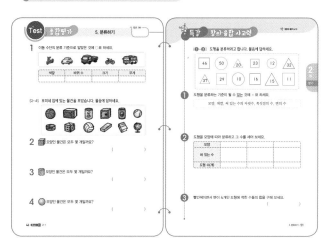

교과 학습과 사고력 학습을 얼마나 잘 이해하였는지 평가하여 배운내용을 정리합니다.

5 분류하기

단원과 관련된
생활 속 분류하기를
살펴보아요.

분류하여 세어 보기

우리는 생활 속에서 물건들을 분류하여 정리해야 할 경우가 많이 있습니다. 물건을 분류하여 놓지 않으면 물건을 찾는 데 시간이 많이 걸리고, 무엇이 더 많이 사용되는지, 무엇을 더 준비해야 하는지 알 수 없는 일도 많이 일어납니다.

예를 들어 서점에 갔는데 책이 도서별로 분류되어 있지 않으면 원하는 책을 찾는 데 시간이 많이 걸려 불편할 수 있습니다.

➡ 바닥에 책이 지저분하게 있어서 원하는 책을 찾으려고 일일이 책을 뒤져야 하므로 시간이 많이 걸립니다.

🎓 주위에 물건이 분류되어 있지 않아 생길 수 있는 불편함에 대해 이야기 해 보세요.

_____

_____

_____

_____

🎓 동물 모양의 젤리를 보고 물음에 답하세요.

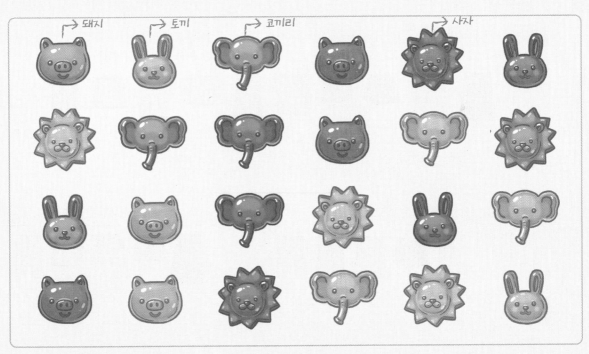

(1) 젤리를 모양에 따라 분류하여 그 수를 세어 보세요.

(2) 어떤 모양의 젤리가 가장 많을까요?

(   )

(3) 젤리를 색깔에 따라 분류하여 그 수를 세어 보세요.

(4) 어떤 색깔의 젤리가 가장 적을까요?

(   )

개념 1 분류하기

• 분류는 기준에 따라 나누는 것입니다.

✕ 예쁜 옷과 예쁘지 않은 옷으로 분류하기

예쁜 옷	예쁘지 않은 옷

기준이 분명하지 않습니다.	

→ 옷을 예쁜 옷과 예쁘지 않은 옷으로 분류하면 사람마다 분류한 결과가 다를 수 있습니다.

✕ 편한 옷과 불편한 옷으로 분류하기

편한 옷	불편한 옷

기준이 분명하지 않습니다.	

→ 옷을 편한 옷과 불편한 옷으로 분류하면 사람마다 분류한 결과가 다를 수 있습니다.

○ 바지와 치마로 분류하기

바지	치마

기준이 분명합니다.	

→ 바지와 치마로 분류하면 사람마다 분류한 결과가 같습니다.

분류를 할 때는 분명한 기준을 정해서 누가 분류해도 항상 같은 결과가 나오도록 해야 합니다.

개념 확인 문제

1-1 모자를 색깔에 따라 분류하여 기호를 써 보세요.

검은색	빨간색	노란색

1-2 분류 기준으로 알맞은 것을 모두 찾아 기호를 써 보세요.

> ㉠ 귀여운 것과 귀엽지 않은 것
> ㉡ 날개가 있는 것과 날개가 없는 것
> ㉢ 다리가 2개인 것과 4개인 것
> ㉣ 가벼운 것과 무거운 것

(   )

개념 **2** 기준에 따라 분류하기

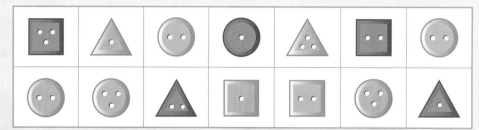

분류 기준: 모양

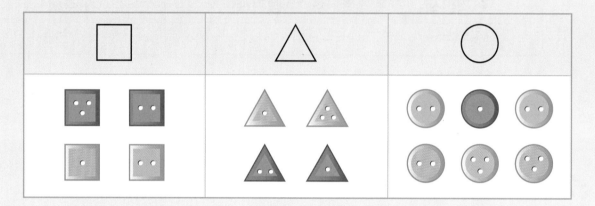

분류 기준: 색깔

빨간색	초록색	파란색

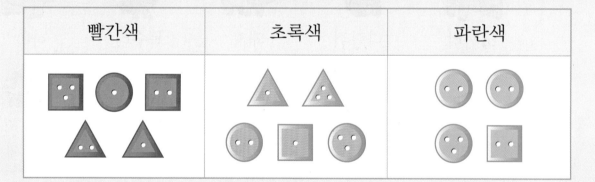

분류 기준: 구멍 수

1개	2개	3개

개념 확인 문제

2-1 이동 수단을 바퀴의 수에 따라 분류해 보세요.

바퀴의 수	2개	4개
기호		

2-2 과일을 분류한 기준을 쓰고 기준에 따라 과일을 분류해 보세요.

분류 기준	

빨간색	노란색	초록색

개념 3 분류하여 세어 보기

• 자료를 빠뜨리지 않고 모두 세기 위하여 하나씩 셀 때마다 종류별로 √, ○, × 등의 표시를 하면서 셉니다.

• 세면서 표시할 때 '╱╱╱╱' 대신 '正'를 이용할 수도 있습니다.

분류 기준: 사탕의 맛

맛	포도 맛	사과 맛	딸기 맛
기호	㉠, ㉣, ㉧	㉡, ㉭, ㉲, ㉳	㉢, ㉤, ㉥, ㉦, ㉨
사탕의 수(개)	3	4	5

분류 기준: 사탕의 모양

모양	🍬	🍭	🍭
세면서 표시하기	╱╱╱╱	╱╱╱╱	╱╱╱
사탕의 수(개)	4	5	3

개념 확인 문제

여러 가지 우유가 있습니다. 물음에 답하세요.

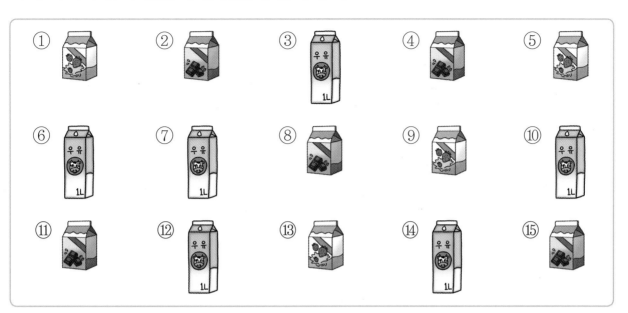

3-1 우유를 종류에 따라 분류하고 그 수를 세어 보세요.

종류			
번호			
수(개)			

3-2 우유를 크기에 따라 분류하여 그 수를 세어 보세요.

크기		
세면서 표시하기	／／／ ／／／	／／／ ／／／
수(개)		

개념 **4** 분류한 결과 말해 보기

진주네 반 학생들이 좋아하는 과일을 조사하였습니다.

사과	포도	귤	포도	사과	귤
귤	포도	사과	귤	귤	사과
사과	귤	포도	사과	포도	사과

분류 기준	과일의 종류

종류	사과	포도	귤
세면서 표시하기	////// ////	////// ////	////// ////
학생 수(명)	7	5	6

➡ 분류한 결과

① 과일의 종류에 따라 분류한 결과 사과를 좋아하는 학생은 **7**명, 포도를 좋아하는 학생은 **5**명, 귤을 좋아하는 학생은 **6**명입니다.

② 가장 많은 학생들이 좋아하는 과일은 사과입니다.

③ 가장 적은 학생들이 좋아하는 과일은 포도입니다.

④ 많은 학생들이 좋아하는 과일부터 차례로 쓰면 사과, 귤, 포도입니다.

⑤ 귤을 좋아하는 학생이 포도를 좋아하는 학생보다 많습니다.

⑥ 진주네 반 학생들과 있을 때는 가장 많은 학생들이 좋아하는 사과를 준비하여 나눠 먹는 것이 좋습니다.

💡 오늘 하루 동안 빵집에서 팔린 빵입니다. 물음에 답하세요.

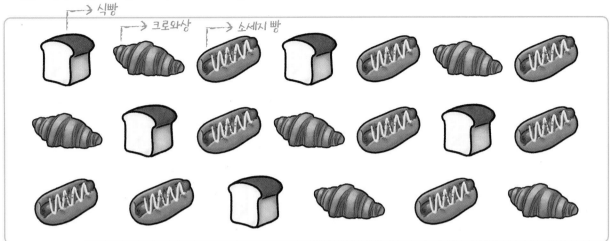

4-1 빵을 종류에 따라 분류하여 그 수를 세어 보세요.

종류	식빵	크로와상	소세지 빵
세면서 표시하기	〽〽 〽〽	〽〽 〽〽	〽〽 〽〽
빵의 수(개)			

4-2 오늘 하루 동안 가장 많이 팔린 빵은 무엇이고, 가장 적게 팔린 빵은 무엇일까요?

가장 많이 팔린 빵 (   )

가장 적게 팔린 빵 (   )

4-3 내일은 빵집에서 어떤 빵을 더 많이 만들면 좋을지 써 보세요.

(   )

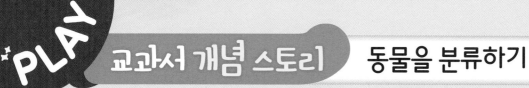

준비물 붙임딱지

동물원에는 여러 종류의 동물들이 있습니다. 동물들을 여러 가지 방법으로 분명한 기준을 정하고 동물 붙임딱지를 붙여 분류하여 보세요.

분류 기준:

분류 기준:

분류 기준:

교과서 개념 스토리 | 날씨를 분류하여 세어 보기

어느 달의 날씨를 조사한 것입니다. 물음에 답하세요.

일	월	화	수	목	금	토
	1 ☀	2 ☔	3 ☀	4 ☀	5 ☁	6 ☀
7 ☀	8 ☀	9 ☁	10 ☁	11 ☔	12 ☔	13 ☀
14 ☁	15 ☀	16 ☀	17 ☀	18 ☁	19 ☀	20 ☀
21 ☀	22 ☔	23 ☁	24 ☔	25 ☀	26 ☀	27 ☁
28 ☔	29 ☁	30 ☁				

☀ : 맑은 날   ☁ : 흐린 날   ☔ : 비 온 날

(1) 날씨의 종류는 모두 몇 가지일까요?

(   )

(2) 날씨에 따라 분류하여 그 수를 세어 보세요.

날씨			
세면서 표시하기	〃〃〃〃 〃〃〃〃 〃〃〃〃	〃〃〃〃 〃〃〃〃 〃〃〃〃	〃〃〃〃 〃〃〃〃 〃〃〃〃
날수(일)			

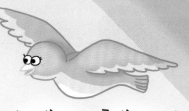

5월 달력입니다. 빈칸에 날씨 붙임딱지를 붙이고 날씨에 따라 분류하여
그 결과를 이야기 해 보세요.

일	월	화	수	목	금	토
			1	2	3	4
5	6	7	8	9	10	11
12	13	14	15	16	17	18
19	20	21	22	23	24	25
26	27	28	29	30	31	

1
주

교과서

☼: 맑은 날   ☁: 흐린 날   ☂: 비 온 날

(1) 날씨에 따라 분류하여 그 수를 세어 보세요.

날씨			
세면서 표시하기	〢〢 〢〢 〢〢 〢〢	〢〢 〢〢 〢〢 〢〢	〢〢 〢〢 〢〢 〢〢
날수(일)			

(2) 5월 날씨에 대하여 이야기 해 보세요.

_____

_____

개념1 분류 기준 알아보기

01 분류 기준으로 알맞지 <u>않은</u> 이유를 찾아 이어 보세요.

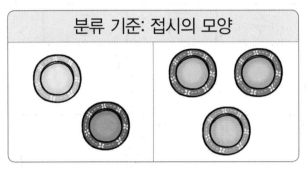

분류 기준: 접시의 모양

• 분류 기준이 분명하지 않습니다.

분류 기준: 비싼 것과 비싸지 않은 것

• 분류 기준으로 나누어지지 않습니다.

02 다음 악기들의 분류 기준으로 알맞은 것을 모두 찾아 기호를 써 보세요.

장구　　기타　　북　　가야금　　징　　바이올린

ㄱ 좋아하는 것과 좋아하지 않는 것
ㄴ 서양 악기와 국악기
ㄷ 소리를 내는 방법
ㄹ 아름다운 소리가 나는 것과 나지 않는 것

(　　　　　　　　)

개념2 기준에 따라 분류하기

[03~04] 동물들을 정해진 기준에 따라 분류하여 보세요.

㉠ 독수리	㉡ 사자	㉢ 얼룩말	㉣ 토끼
㉤ 코끼리	㉥ 염소	㉦ 치타	㉧ 기린

03 분류 기준: 다리의 수

다리의 수	2개	4개
기호		

04 분류 기준: 먹이

먹이	풀을 먹고 사는 동물	고기를 먹고 사는 동물
기호		

05 물건을 기준에 따라 분류한 것입니다. 잘못 분류된 것에 ×표 하세요.

 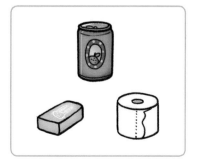 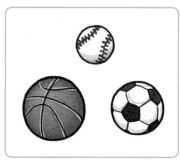

개념3 분류 기준 정하기

06 칠교판의 조각을 기준을 정하여 분류하려고 합니다. 분류 기준으로 알맞은 것에 ○표 하세요.

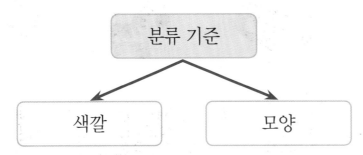

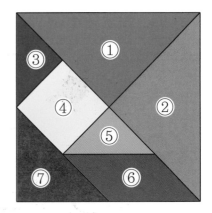

07 단추를 기준을 정하여 분류하려고 합니다. 분류 기준으로 알맞은 것에 모두 ○표 하세요.

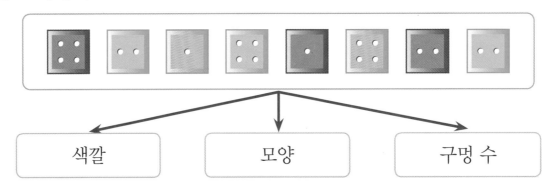

08 그림의 누름 못을 기준을 정하여 분류하려고 합니다. 분류할 수 있는 서로 다른 기준을 빈 곳에 써 보세요.

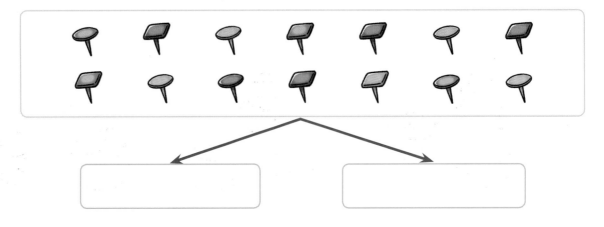

개념4 **기준에 따라 분류하여 세어 보기**

09 여러 가지 물건을 모양에 따라 분류하여 그 수를 세어 보세요.

모양			
세면서 표시하기	╱╱╱╱	╱╱╱╱	╱╱╱╱
물건의 수(개)			

10 돼지 저금통에서 나온 동전입니다. 동전을 금액에 따라 분류하여 그 수를 세어 보세요.

금액	10	100	500
세면서 표시하기	╱╱╱╱ ╱╱╱╱	╱╱╱╱ ╱╱╱╱	╱╱╱╱ ╱╱╱╱
동전 수(개)			

개념 5 기준을 정하고 분류하여 세어 보기

11 여러 가지 글자가 있습니다. 기준을 정하고 분류하여 그 수를 세어 보세요.

h	발	E	글	기	Z
A	영	B	m	산	Q

분류 기준	

기준		
세면서 표시하기	/////////	/////////
글자 수(개)		

12 정우네 반 학생들이 좋아하는 요일을 조사하였습니다. 기준을 정하고 분류하여 그 수를 세어 보세요.

가은	토요일	은지	금요일	혜미	토요일
채민	일요일	서진	토요일	종현	일요일
민주	금요일	정우	일요일	연우	토요일
상혁	토요일	영아	금요일	보미	일요일

분류 기준	

세면서 표시하기	/////	/////	/////
학생 수(명)			

개념6 **분류한 결과 말해 보기**

13 동현이네 반 학생들의 취미를 조사하였습니다. 물음에 답하세요.

운동	영화 감상	운동	독서	영화 감상	운동
독서	운동	영화 감상	운동	운동	영화 감상

(1) 취미에 따라 분류하여 그 수를 세어 보세요.

취미	운동	영화 감상	독서
학생 수(명)			

(2) 가장 많은 학생들의 취미는 무엇일까요?

(   )

14 연경이의 신발장에 들어 있는 운동화입니다. 색깔에 따라 분류하여 그 수를 세어 보고 ☐ 안에 알맞은 말을 써넣으세요.

색깔	빨간색	파란색	초록색
운동화 수(켤레)			

➡ ① 가장 많은 운동화의 색깔은 ☐ 입니다.

② 가장 적은 운동화의 색깔은 ☐ 입니다.

★ 분류 기준 정하기

1 다음과 같이 음식을 분류 기준에 따라 분류하였습니다. 분류한 기준으로 알맞지 <u>않은</u> 이유를 써 보세요.

맛있는 것	맛없는 것

이유 _____

개념
피드백
• 분류 기준
분류할 때는 분명한 기준을 정해서 누가 분류하더라도 항상 같은 결과가 나올 수 있어야 합니다.

1-1 옷장의 윗옷들을 두 개의 상자에 나누어 정리하려고 합니다. 윗옷을 분류할 수 있는 기준을 써 보세요.

(   )

1-2 오른쪽 학생들을 분류하려고 합니다. 분류 기준으로 알맞은 것을 모두 찾아 기호를 써 보세요.

ㄱ 똑똑한 학생과 똑똑하지 않은 학생
ㄴ 안경 쓴 학생과 안경 쓰지 않은 학생
ㄷ 남학생과 여학생
ㄹ 착한 학생과 착하지 않은 학생

(   )

★ 분류한 결과 비교하기

2 공원에 있는 나무를 종류에 따라 분류하여 그 수를 센 것입니다. 가장 많은 나무는 가장 적은 나무보다 몇 그루 더 많을까요?

종류	소나무	벚나무	단풍나무	은행나무
나무 수(그루)	5	9	6	7

나무 수가 가장 많은 나무는 ⬜️ 로 ⬜️ 그루이고 가장 적은

나무는 ⬜️ 로 ⬜️ 그루입니다.

식 ⬜️ − ⬜️ = ⬜️

답 _____

개념 피드백 • 기준에 따라 분류한 결과
분류 기준에 따라 분류하고 센 수를 이용하여 가장 많은 것과 가장 적은 것 등을 알 수 있습니다.

2-1 냉장고에 있는 과일을 종류에 따라 분류하여 그 수를 센 것입니다. 사과는 귤보다 몇 개 더 많을까요?

종류	사과	배	귤	감
과일 수(개)	11	5	7	9

( )

2-2 민지의 필통에 들어 있는 학용품을 종류에 따라 분류하여 그 수를 센 것입니다. 가장 많이 들어 있는 학용품은 가장 적게 들어 있는 학용품보다 몇 개 더 많을까요?

종류	지우개	연필	풀	색연필
학용품 수(개)	2	5	1	7

( )

★ **두 가지 기준으로 분류하기**

3 가게에 있는 우유입니다. 바나나 맛이면서 병에 들어 있는 우유는 모두 몇 개일까요?

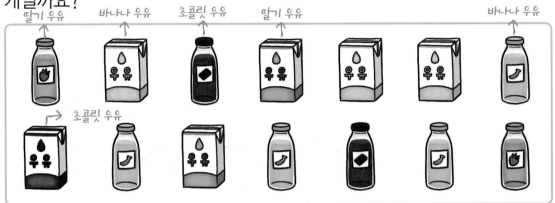

① 바나나 맛에 ○표 하세요.

② 병 모양에 △표 하세요.

③ ○와 △가 모두 표시되어 있는 우유의 수를 세어 봅니다.

답 _____

개념 피드백

• 두 가지 기준으로 분류하기

① 한 가지 기준을 만족하는 것에 ○표 합니다.

② 다른 한 가지 기준을 만족하는 것에 △표 합니다.

③ ○와 △가 모두 표시되어 있는 것을 찾습니다.

3-1 상혁이네 모둠 학생들입니다. 모자를 쓰고 있으면서 파란색 옷을 입은 학생은 모두 몇 명일까요?

( )

★ 잘못 분류된 것 찾기

4 냉장고에 있는 음식을 다음과 같이 분류하였습니다. 잘못 분류된 칸을 찾고 그렇게 생각한 이유를 써 보세요.

채소 칸 ➡

과일 칸 ➡

김치 칸 ➡

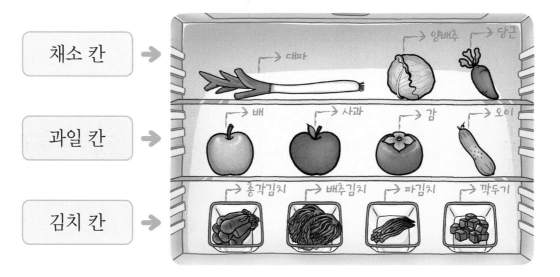

① 잘못 분류된 칸은 [ ] 칸입니다.

② [ ]를 [ ] 칸으로 옮겨야 합니다.

개념 피드백 • 기준에 따라 분류한 것 확인하기

분류 기준에 맞는 것인지 아닌지 구별하여 잘못 분류된 음식을 찾아 바르게 분류합니다.

4-1 물건을 다음과 같이 분류하였습니다. 잘못 분류된 것을 찾아 ○표 하고, 그렇게 생각한 이유를 써 보세요.

이유

⭐ **분류하여 센 수 구하기**

5 정호네 반 학급 문고에 있는 책 25권을 종류에 따라 분류하여 그 수를 세 었습니다. 동화책은 몇 권일까요?

종류	위인전	동화책	역사책
책 수(권)	12		8

① 위인전과 역사책은 모두 [　　] 권입니다.

② 동화책의 수를 □라 하여 덧셈식으로 나타냅니다.

식 ＿＿＿＿＿＿＿＿＿＿＿＿＿＿＿＿＿＿＿＿＿

답 ＿＿＿＿＿＿＿＿＿＿＿＿＿＿＿

개념 피드백

• 분류하여 센 수 구하기

　분류 기준에 따라 나온 항목별 수의 합은 전체 수와 같습니다.

5-1 지후네 냉장고에 있는 과일 20개를 종류에 따라 분류하여 그 수를 세었습 니다. 사과는 몇 개일까요?

종류	사과	배	복숭아
과일 수(개)		7	8

(　　　　　　　　　)

5-2 혜진이는 가지고 있는 머리핀 17개를 색깔에 따라 분류하여 그 수를 세었 습니다. 노란색 머리핀은 몇 개일까요?

색깔	빨간색	노란색	파란색	검은색
머리핀 수(개)	4		6	3

(　　　　　　　　　)

★ **조건에 맞는 수 구하기**

6 가은이네 반 학생들이 가지고 있는 동화책 수를 조사하였습니다. 동화책 수가 5권보다 많고 8권보다 적은 학생은 모두 몇 명인지 구해 보세요.

4권	9권	7권	5권	7권	8권
6권	7권	5권	9권	4권	7권
5권	7권	4권	6권	5권	9권

① 동화책 수에 따라 분류하여 그 수를 세어 보세요.

동화책 수	4권	5권	6권	7권	8권	9권
학생 수(명)						

② 동화책 수가 5권보다 많고 8권보다 적은 학생 수를 모두 구합니다.

답 _____

6-1 영진이가 주사위를 던져서 나온 눈을 보고 색종이에 눈을 그린 것입니다. 눈의 수가 3보다 크고 6보다 작은 것은 모두 몇 번 나왔는지 구해 보세요.

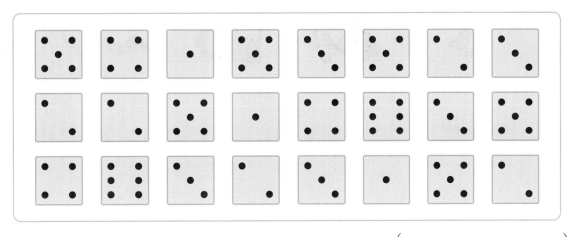

( )

서술형 연습
1 여러 가지 글자가 있습니다. 글자 종류에 따라 분류하려고 할 때 몇 가지로 분류할 수 있는지 구해 보세요.

> 나 M 朴 T 마 A 라
> 李 D 가 金 다 水

해결하기
글자 종류는 한글, ☐ , ☐ 이/가 있습니다.

글자 종류에 따라 ☐ 가지로 분류할 수 있습니다.

답 ☐

서술형 실전
2 영미네 모둠 친구들이 좋아하는 동물을 조사하였습니다. 동물들의 다리 수에 따라 분류하려고 할 때 몇 가지로 분류할 수 있는지 구해 보세요.

해결하기
_____
_____
_____

답 구하기 _____

서술형연습
3 가은이네 반 학생들이 좋아하는 채소를 조사하였습니다. 가장 많은 학생들이 좋아하는 채소는 무엇인지 구해 보세요.

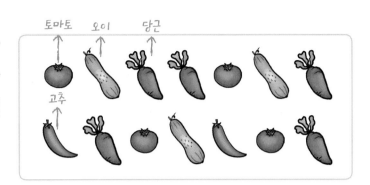

해결하기 ① 채소를 종류에 따라 분류하여 그 수를 세어 봅니다.

종류	토마토	오이	당근	고추
채소 수(개)				

② 수의 크기를 비교하면 ☐ > ☐ > ☐ > ☐ 이므로 가장 많은

학생들이 좋아하는 채소는 ☐ 입니다.

답 구하기 ☐

서술형실전
4 정우네 모둠 학생들이 현장 체험 학습으로 가고 싶어 하는 장소를 조사하였습니다. 가장 많은 학생들이 가고 싶어 하는 장소는 어느 곳인지 구해 보세요.

해결하기

답 구하기

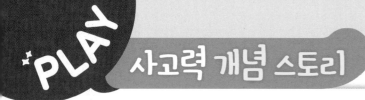
준비물 ◀ 붙임딱지

가은이네 집에서 일주일 동안 나온 재활용품입니다. 종류에 따라 재활용품 붙임딱지를 붙여 분류하고 물음에 답하세요.

준비물 ◀ 붙임딱지

(1) 재활용품을 종류에 따라 분류하여 그 수를 세어 보세요.

종류			
세면서 표시하기	〃〃 〃〃	〃〃 〃〃	〃〃 〃〃
수(개)			

(2) 재활용품을 종류에 따라 분류했을 때 그 수가 가장 많은 종류는 무엇일까요? ( )

(3) 상혁이도 집에서 나온 재활용품을 분리배출하려고 합니다. 기준에 따라 재활용품 붙임딱지를 붙여 분류하고 어떻게 분류했는지 써 보세요.

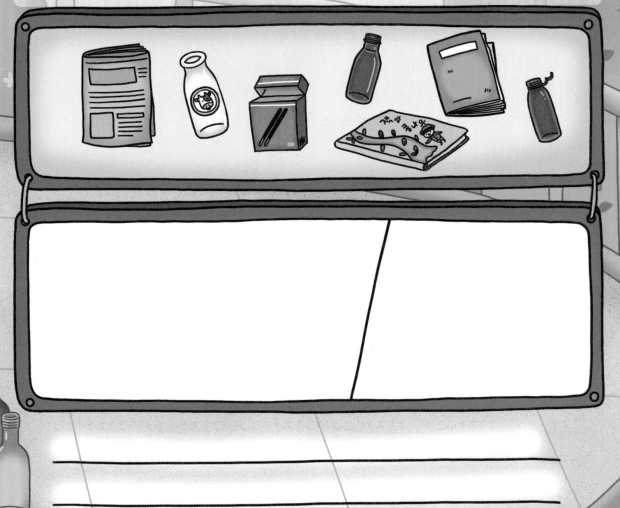

_____

_____

준비물 ◀ 붙임딱지

영아네 반 친구들이 입고 있는 옷의 단추를 조사하였습니다. 선생님의 말씀을 듣고 알맞은 단추를 찾아 바구니에 단추 붙임딱지를 붙여 담아 보세요.

빨간색이고
구멍이 4개인 단추를
모두 담아 보세요.

파란색이고
구멍이 3개인 단추를
모두 담아 보세요.

꼭짓점이 6개인 모양이고
구멍이 4개인 단추를
모두 담아 보세요.

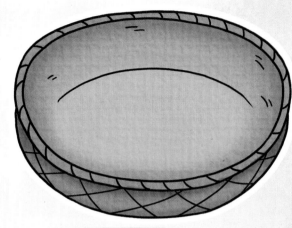

• 노란색입니다.
• 단추 구멍이 2개입니다.
• 변이 3개인 모양입니다.
모두 만족하는 단추를 담아 보세요.

자유롭게 분류 기준을 2가지 또는 3가지를 정해 단추를 담아 보세요.

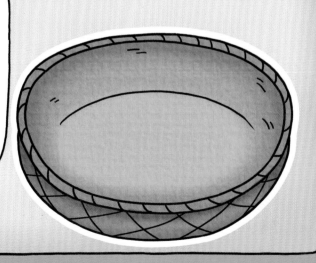

1 정아와 민지는 카드 뒤집기 놀이를 하였습니다. 정아는 빨간색, 민지는 파란색이 보이게 카드를 뒤집었습니다. 누가 뒤집은 카드의 색깔이 더 많은지 구해 보세요.

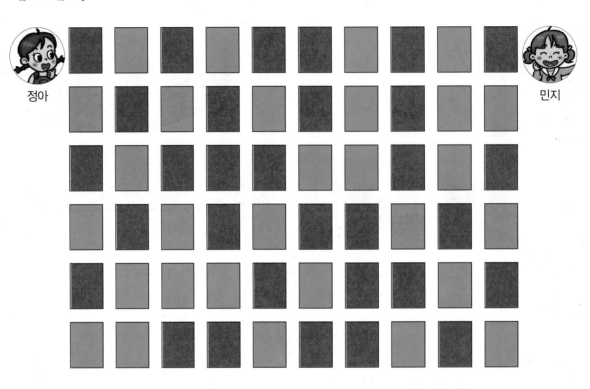

① 카드를 색깔에 따라 분류하여 그 수를 세어 보세요.

색깔		
수(장)		

② 누가 뒤집은 카드의 색깔이 더 많을까요?

(   )

2 명철이는 가족들과 뷔페에 갔습니다. 명철이가 접시에 담아 올 음식은 모두 몇 가지인지 구해 보세요.

접시에 고기와 샐러드를 가득 담아 와야지.

명철

① 도넛	② 갈비	③ 감	④ 식빵	⑤ 치킨
⑥ 망고 샐러드	⑦ 폭립	⑧ 포도	⑨ 케이크	⑩ 귤
⑪ 사과	⑫ 크로와상	⑬ 토마토 샐러드	⑭ 바나나	⑮ 치즈 샐러드

① 뷔페 음식을 분류하는 기준은 무엇일까요?

(   )

② 뷔페 음식을 **①**에서 정한 기준에 따라 분류하여 그 수를 세어 보세요.

수(가지)				

③ 명철이가 접시에 담아 온 음식은 모두 몇 가지일까요?

(   )

3 진주는 어머니와 함께 마트에 왔습니다. 진주가 사야 할 물건은 사과, 치마, 우유, 색연필입니다. 물건을 가능한 한 짧은 거리로 이동하여 살 수 있는 방법을 설명해 보세요.

층별 안내도

층	코너
4층	의류
3층	신발
2층	문구, 화장품
1층	식품, 계산대

사야 할 물건

① 물건을 사야 할 층에 맞게 이어 보세요.

4층	의류
3층	신발
2층	문구, 화장품
1층	식품, 계산대

② 물건을 구입할 순서를 쓰고, 그렇게 생각한 이유를 써 보세요.

순서 _____

_____

이유 _____

_____

4 동혁이네 아파트에 도둑이 들었습니다. 도둑은 공원으로 몰래 숨었다고 합니다. 도둑을 본 주민들의 말을 듣고 도둑을 잡아 보세요.

❶ 경비 아저씨의 말씀을 듣고 해당하는 사람을 모두 찾아 기호를 써 보세요.

내가 봤어.
도둑은 남자야!

경비 아저씨

( )

❷ ❶의 결과 중 할머니의 말씀을 듣고 해당하는 사람을 모두 찾아 기호를 써 보세요.

내가 확실히 보았어.
도둑은 모자를 썼어!

할머니

( )

❸ ❷의 결과 중 동혁이의 말을 듣고 도둑을 찾아 기호를 써 보세요.

도둑은 안경을
썼어요!

동혁

( )

1

개구리가 집에 가기 위해 밟아야 하는 모양을 모두 찾아 빗금을 쳐 보세요.

1단계

연잎이 있는 곳까지는 변이 3개인 모양만 밟고 가야 합니다.

→

2단계

연잎이 있는 곳에서 집까지는 굴릴 수도 있고 잘 쌓을 수도 있는 모양만 밟고 가야 합니다.

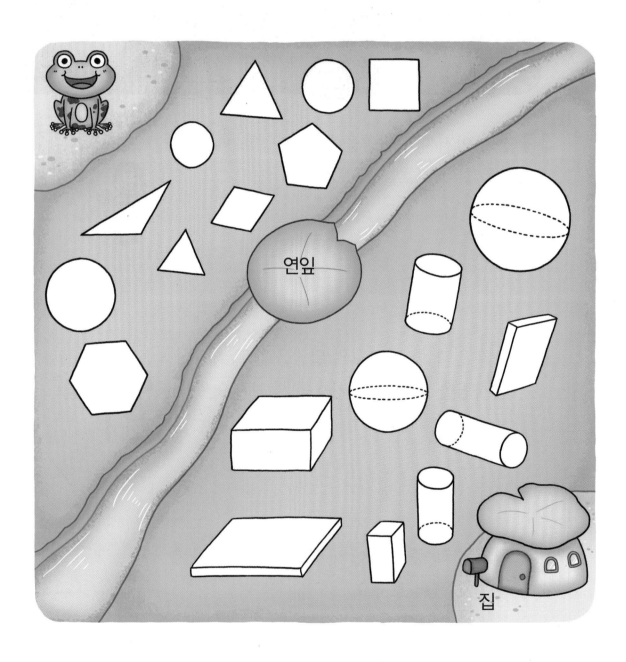

준비물 붙임딱지

2 다음은 동화책에 나오는 장면이 그려진 그림 카드입니다. 동화 제목을 찾아 쓰고 동화 제목에 따라 카드를 분류하여 카드 붙임딱지를 붙여 보세요.

동화 제목

〈신데렐라〉, 〈아기 돼지 삼형제〉, 〈금도끼 은도끼〉

동화 제목	카드

준비물 ‹ 붙임딱지

3 가로줄과 세로줄에 놓이는 단추의 모양과 구멍의 수는 서로 다릅니다. 빈칸에 알맞은 단추 붙임딱지를 붙여 보세요.

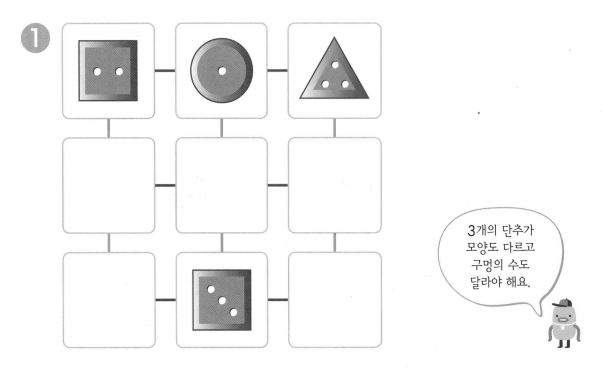

3개의 단추가 모양도 다르고 구멍의 수도 달라야 해요.

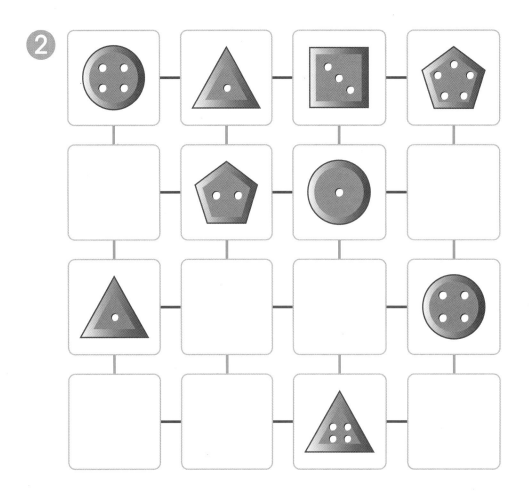

4 **어머니는 집안에 있는 물건들을 정리하려고 합니다. 물음에 답하세요.**

| 운동화 | 치마 | 장갑 | 티셔츠 | 청바지 | 양말 |
| 후드 티 | 슬리퍼 | 모자 | 구두 | 장화 |

2
주
사고력

❶ 분류 기준이 될 수 있는 것에 ○표 하세요.

| 비싼 것과 비싸지 않은 것 | 짝이 있는 것과 짝이 없는 것 |

❷ 물건들을 ❶의 분류 기준에 따라 분류하여 그 수를 세어 보세요.

기준		
물건 수(가지)		

❸ 정리해야 할 물건이 더 많은 것은 무엇일까요?

( )

1 지우네 반 학생 25명의 장래 희망을 조사하였습니다. 분류하여 그 수를 다음과 같이 세었을 때 가장 많은 학생들이 희망하는 장래 희망은 무엇인지 구해 보세요.

장래 희망	연예인	선생님	의사	유튜버
학생 수(명)	6	4	7	

❶ 유튜버가 되고 싶은 학생은 몇 명일까요?

(   )

❷ 가장 많은 학생들이 희망하는 장래 희망은 무엇일까요?

(   )

2 문구점에서 오늘 하루 동안 팔린 색연필 30자루의 색깔을 조사하였습니다. 분류하여 그 수를 다음과 같이 세었을 때 내일은 어떤 색깔의 색연필을 더 많이 준비하면 좋을지 구해 보세요.

색깔	빨간색	파란색	노란색	주황색
색연필 수(자루)	8		10	5

❶ 가장 많이 팔린 색연필의 색깔은 무엇일까요?

(   )

❷ 내일은 어떤 색깔의 색연필을 더 많이 준비하면 좋을까요?

(   )

평가 영역 ☐ 개념 이해력 ☐ 개념 응용력 ☑ 창의력 ☐ 문제 해결력

3 가은이는 가지고 있는 구슬을 색깔에 따라 분류하였습니다. 분류하여 그 수를 다음과 같이 세었을 때 구슬의 수가 색깔별로 같아지려면 어떤 색깔의 구슬을 더 모아야 하는지 구해 보세요.

색깔	노란색	빨간색	파란색	초록색
구슬 수(개)	10	7	10	9

① 구슬의 수가 같은 것은 어떤 색깔과 어떤 색깔의 구슬일까요?

　　　　　　 구슬과 　　　　　　 구슬

② 구슬의 수가 색깔별로 같아지려면 어떤 색깔과 어떤 색깔의 구슬을 더 모아야 할까요?

　　　　　　 구슬과 　　　　　　 구슬

평가 영역 ☐ 개념 이해력 ☐ 개념 응용력 ☑ 창의력 ☐ 문제 해결력

4 윤아네 반 학급 문고에 있는 책을 종류에 따라 분류하였습니다. 분류하여 그 수를 다음과 같이 세었을 때 책의 수가 종류별로 같아지려면 어떤 종류의 책을 몇 권 더 구입해야 하는지 모두 구해 보세요.

종류	동화책	위인전	과학책	역사책
책 수(권)	13	15	10	15

　　　　　　 , 　　 권

　　　　　　 , 　　 권

책 수가 종류별로 같아지려면 책 수가 적은 것을 구입하면 됩니다.

1 이동 수단의 분류 기준으로 알맞은 것에 ○표 하세요.

색깔	바퀴 수	크기	무게

[2~4] 보미네 집에 있는 물건을 모았습니다. 물음에 답하세요.

2 모양인 물건은 모두 몇 개일까요?

(   )

3 모양인 물건은 모두 몇 개일까요?

(   )

4 모양인 물건은 모두 몇 개일까요?

(   )

5 다음은 채민이가 분류한 것입니다. 잘못 분류된 것을 찾아 ×표 하세요.

[6~8] 지후의 저금통에 들어 있는 돈을 정리하려고 합니다. 물음에 답하세요.

6 돈을 같은 금액에 따라 분류하여 그 수를 세어 보세요.

금액	100	500	1000	5000
수(개)				

7 돈을 종류에 따라 분류하여 그 수를 세어 보세요.

종류	동전	지폐
수(개)		

8 동전과 지폐 중 어느 것이 더 많을까요?

( )

[9~10] 정아네 반 학생들이 가 보고 싶어 하는 나라를 조사한 것입니다. 물음에 답하세요.

미국	중국	미국	일본	미국	중국	프랑스
프랑스	미국	프랑스	중국	중국	미국	미국
미국	중국	프랑스	미국	미국	중국	중국

9 가 보고 싶어 하는 나라에 따라 분류하여 그 수를 세어 보세요.

나라				
학생 수(명)				

10 가장 많은 학생들이 가 보고 싶어 하는 나라는 어느 나라일까요?

(   )

11 분리배출을 하였습니다. <u>잘못</u> 분류되어 있는 재활용품의 종류를 찾고, 그 이유를 써 보세요.

플라스틱류	캔류	병류

(   )

이유 _____

_____

[12~14] 5월의 날씨를 달력에 표시한 것입니다. 물음에 답하세요.

일	월	화	수	목	금	토
1 ☀	2 ☁	3 ☀	4 ☀	5 ☂	6 ☀	7 ☂
8 ☀	9 ☁	10 ☀	11 ☁	12 ☂	13 ☂	14 ☀
15 ☁	16 ☁	17 ☂	18 ☀	19 ☀	20 ☂	21 ☂
22 ☀	23 ☁	24 ☀	25 ☂	26 ☀	27 ☁	28 ☀
29 ☂	30 ☀	31 ☂				

☀ : 맑은 날   ☁ : 흐린 날   ☂ : 비 온 날

12 날씨의 종류는 모두 몇 가지일까요?

(   )

13 날씨에 따라 분류하고 그 수를 세어 보세요.

날씨			
날짜			
날수(일)			

14 가장 많은 날은 어떤 날씨이고 며칠일까요?

(   ), (   )

15 민재네 학원 학생들이 좋아하는 계절을 조사하였습니다. 분류하여 그 수를 다음과 같이 세었을 때 가장 많은 학생들이 좋아하는 계절과 가장 적은 학생들이 좋아하는 계절의 학생 수의 차는 몇 명인지 구해 보세요.

계절	봄	여름	가을	겨울
학생 수(명)	9	13	11	10

(   )

16 지수네 반 학생 22명이 좋아하는 운동을 조사하였습니다. 분류하여 그 수를 다음과 같이 세었을 때 피구를 좋아하는 학생은 몇 명인지 구해 보세요.

운동	농구	피구	축구	야구
학생 수(명)	7		6	4

(   )

17 ㉠, ㉡, ㉢에 알맞은 이동 수단을 각각 2개씩 써 보세요.

움직이는 장소	땅	물	하늘
이동 수단	㉠	㉡	㉢

㉠ (   )

㉡ (   )

㉢ (   )

[❶~❸] 도형을 분류하려고 합니다. 물음에 답하세요.

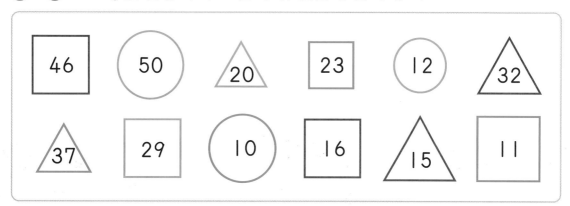

❶ 도형을 분류하는 기준이 될 수 없는 것에 ×표 하세요.

> 모양, 색깔, 써 있는 수의 자릿수, 꼭짓점의 수, 변의 수

❷ 도형을 모양에 따라 분류하고 그 수를 세어 보세요.

모양			
써 있는 수			
도형 수(개)			

❸ 빨간색이면서 변이 4개인 도형에 적힌 수들의 합을 구해 보세요.

(   )

6 곱셈

단원과 관련된
생활 속 곱셈 이야기를
살펴보아요.

생활 속 곱셈 이야기

밭에 심은 배추, 상추, 무, 당근을 수확하기 위해 필요한 바구니 수를 구하려고 합니다. 각 농작물은 서로 다른 바구니에 담아야 하고 바구니 한 개에 배추 또는 상추는 4포기씩 담고, 무 또는 당근은 4개씩 담으려고 합니다. 농작물을 수확하는 데 바구니는 모두 몇 개 필요한지 알아볼까요?

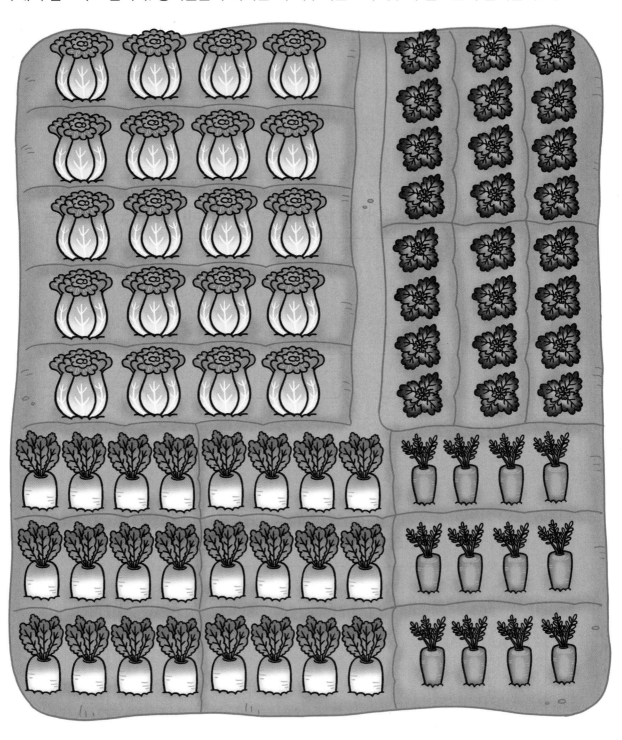

📖 각 농작물의 수를 하나씩 세어 보세요.

[그림] □ 포기　　　　[그림] □ 포기

[그림] □ 개　　　　[그림] □ 개

📖 각 농작물의 수를 4씩 묶어서 세어 보세요.

[그림] : 4씩 □ 묶음이므로 □ 포기입니다.

[그림] : 4씩 □ 묶음이므로 □ 포기입니다.

[그림] : 4씩 □ 묶음이므로 □ 개입니다.

[그림] : 4씩 □ 묶음이므로 □ 개입니다.

📖 각 농작물을 담는 데 필요한 바구니 수를 각각 구해 보세요.

[그림] (　　　　　)　　　　[그림] (　　　　　)

[그림] (　　　　　)　　　　[그림] (　　　　　)

📖 농작물을 수확하는 데 바구니는 모두 몇 개 필요할까요?

(　　　　　)

개념 1 여러 가지 방법으로 세기

• 사과는 모두 몇 개인지 여러 가지 방법으로 세어 보기

방법1 하나씩 세기

1, 2, 3, 4, 5, 6, 7, 8, 9, 10, 11, 12, 13, 14로 사과는 모두 14개입니다.

방법2 뛰어 세기

2씩 뛰어서 세면 2, 4, 6, 8, 10, 12, 14로 사과는 모두 14개입니다.

방법3 묶어 세기

① 2개씩 묶어 세기

➡ 2개씩 묶으면 7묶음이므로 사과는 모두 14개입니다.

② 3개씩 묶어 세기

➡ 3개씩 4묶음에 낱개 2개를 더해서 셀 수 있습니다.

참고

하나씩 세거나 뛰어 세는 방법보다 묶어 세는 방법이 시간이 적게 걸리고 쉬워서 편리합니다.

개념 확인 문제

1-1 도넛은 모두 몇 개인지 하나씩 세려고 합니다. ☐ 안에 알맞은 수를 써넣으세요.

1, 2, 3, ☐, ☐, ☐, ☐ 이므로 모두 ☐ 개입니다.

1-2 귤은 모두 몇 개인지 4씩 뛰어서 세어 보세요.

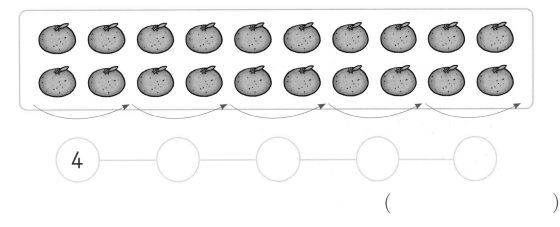

4 ─ ◯ ─ ◯ ─ ◯ ─ ◯

(   )

1-3 딸기는 모두 몇 개인지 묶어서 세려고 합니다. 물음에 답하세요.

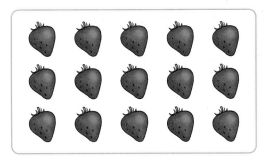

(1) 딸기는 모두 몇 개일까요?

(   )

(2) 딸기의 수를 몇씩 몇 묶음으로 세었는지 ☐ 안에 알맞은 수를 써넣으세요.

☐ 씩 ☐ 묶음, ☐ 씩 ☐ 묶음

개념 **2** 묶어 세기

- 자동차의 수를 2가지 방법으로 묶어 세기

① 3씩 묶어 세기

| 3 | 3 | 3 | 3 | 3 |

| 3 | 6 | 9 | 12 | 15 |

3씩 1묶음　3씩 2묶음　3씩 3묶음　3씩 4묶음　3씩 5묶음

➡ 3씩 5묶음이므로 자동차는 모두 15대입니다.

② 5씩 묶어 세기

| 5 | 5 | 5 |

| 5 | 10 | 15 |

5씩 1묶음　　5씩 2묶음　　5씩 3묶음

➡ 5씩 3묶음이므로 자동차는 모두 15대입니다.

- 도토리의 수를 여러 가지 방법으로 묶어 세기

도토리 12개를 몇씩 묶느냐에 따라 묶음 수가 달라져요.

① 2씩 묶어 세면 6묶음이므로 도토리는 모두 12개입니다.

② 3씩 묶어 세면 4묶음이므로 도토리는 모두 12개입니다.

③ 4씩 묶어 세면 3묶음이므로 도토리는 모두 12개입니다.

④ 6씩 묶어 세면 2묶음이므로 도토리는 모두 12개입니다.

참고
★씩 묶어 세기는 ★씩 더하면서 세는 것입니다.

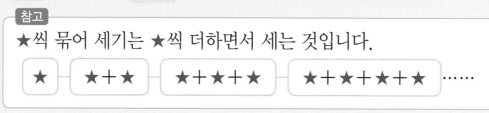

개념 확인 문제

2-1 그림을 보고 물음에 답하세요.

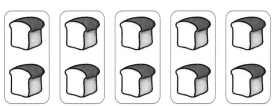

(1) 식빵은 2씩 몇 묶음일까요?

(   )

(2) ☐ 안에 알맞은 수를 써넣으세요.

2씩 ☐ 묶음이므로 식빵은 모두 ☐ 개입니다.

2-2 그림을 보고 ☐ 안에 알맞은 수를 써넣으세요.

(1)

4씩 ☐ 묶음

➡ ☐ 마리

(2)

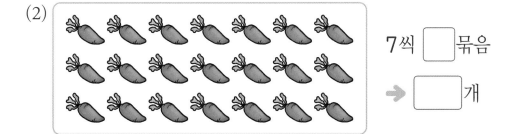

7씩 ☐ 묶음

➡ ☐ 개

2-3 빈 곳에 알맞은 수를 써넣으세요.

(1) 6씩 5묶음

| 6 | 12 | | | |

(2) 5씩 7묶음

| 5 | 10 | | | | | |

개념 **3** 2의 몇 배 알아보기

· 2의 몇 배인지 알아보기

2씩 5묶음은 10입니다.

2씩 5묶음은 2의 5배입니다.

➡ 2의 5배는 10입니다.

2의 5배는 2를 5번 더한 것과 같습니다.

➡ 2+2+2+2+2=10

· 몇의 몇 배인지 알아보기

4씩 1묶음 ➡  ⬅ 4씩 3묶음

가위는 4개이고, 풀은 4+4+4=12(개)입니다.

가위는 4씩 1묶음이고 풀은 4씩 3묶음입니다.

➡ 풀의 수는 가위의 수의 3배입니다.

· 몇의 몇 배로 나타내기

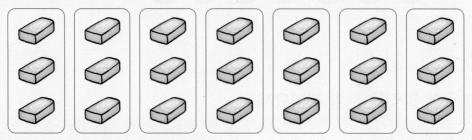

3씩 7묶음은 21입니다.

3씩 7묶음은 3의 7배입니다.

3의 7배는 3+3+3+3+3+3+3=21입니다.

➡ 21은 3의 7배입니다.

개념 확인 문제

3-1 그림을 보고 □ 안에 알맞은 수를 써넣으세요.

(1) 연필은 3자루씩 □묶음이므로 3의 □배입니다.

(2) 연필의 수를 덧셈식으로 나타내면

3+3+□+□+□=□입니다.

(3) 3의 □배는 □입니다.

3-2 □ 안에 알맞은 수를 써넣으세요.

(1) 2+2+2+2+2+2+2 ➡ □의 □배

(2) 5+5+5+5 ➡ □의 □배

(3) 8+8+8 ➡ □의 □배

3-3 케이크의 수는 우유의 수의 몇 배일까요?

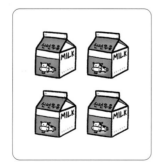 

(   )

개념 **4** 곱셈식 알아보기

• 곱셈 알아보기

딸기가 6개씩 5묶음 있으므로 딸기의 수는 6의 5배입니다.

> • 6의 5배를 6×5라고 씁니다.
> • 6×5는 6 곱하기 5라고 읽습니다.

• 곱셈식 알아보기

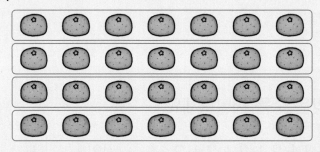

귤이 7개씩 4묶음 있으므로 귤의 수는 7의 4배입니다.

덧셈식 7+7+7+7=28 ┐
곱셈식 7×4=28   ┘ ➡ 귤은 모두 28개입니다.

> • 7+7+7+7은 7×4와 같습니다.
> • 7×4=28은 7 곱하기 4는 28과 같습니다라고 읽습니다.
> • 7과 4의 곱은 28입니다.

개념 **5** 여러 가지 곱셈식으로 나타내기

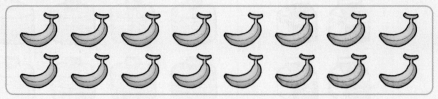

① 2씩 8묶음 ➡ 2의 8배 ➡ 2×8=16
② 4씩 4묶음 ➡ 4의 4배 ➡ 4×4=16
③ 8씩 2묶음 ➡ 8의 2배 ➡ 8×2=16

개념 확인 문제

4-1 멜론의 수를 덧셈식과 곱셈식으로 나타내어 보세요.

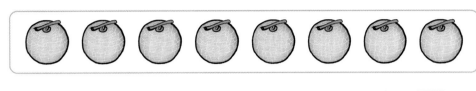

덧셈식 $2+2+2+2=$ ☐   곱셈식 $2\times$ ☐ $=$ ☐

4-2 배가 한 상자에 5개씩 들어 있습니다. 3상자에 들어 있는 배는 모두 몇 개인지 구하려고 합니다. 물음에 답하세요.

(1) 배의 수를 덧셈식으로 나타내어 보세요.

덧셈식 _____

(2) 배의 수를 곱셈식으로 나타내어 보세요.

곱셈식 _____

(3) 배는 모두 몇 개일까요?

(   )

5 ☐ 안에 알맞은 수를 써넣으세요.

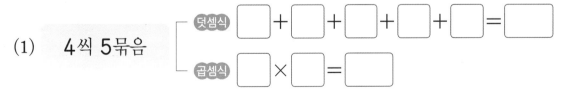

(1) 4씩 5묶음

덧셈식 ☐ $+$ ☐ $+$ ☐ $+$ ☐ $+$ ☐ $=$ ☐

곱셈식 ☐ $\times$ ☐ $=$ ☐

(2) 9씩 4묶음

덧셈식 ☐ $+$ ☐ $+$ ☐ $+$ ☐ $=$ ☐

곱셈식 ☐ $\times$ ☐ $=$ ☐

준비물 붙임딱지

과일과 채소가 진열되어 있는 곳에 생쥐가 있습니다. 과일이나 채소의 수를 나타내는 덧셈식을 쓰고 같은 수를 나타내는 곱셈식이 써 있는 붙임딱지를 붙여 생쥐를 가려 보세요.

덧셈식 $2 +$ ☐ $+$ ☐ $=$ ☐

덧셈식 _____

덧셈식 _____

덧셈식 _____

덧셈식 _____

덧셈식 _____

덧셈식 _____

덧셈식 _____

준비물 붙임딱지

엽전은 옛날에 사용하던 동전으로 둥글고 납작한 모양의 돈입니다. 곱셈식을 완성하고 이 곱셈식을 나타낼 수 있도록 엽전 붙임딱지를 붙여 보세요.

$2 \times 4 = \boxed{}$

$3 \times 3 = \boxed{}$

$2 \times 5 = \boxed{}$

$3 \times 5 = \boxed{}$

엽전의 수를 나타내는 곱셈식이 써 있는 붙임딱지를 각각 2개씩 찾아 붙이고 엽전은 모두 몇 개인지 □ 안에 써넣으세요.

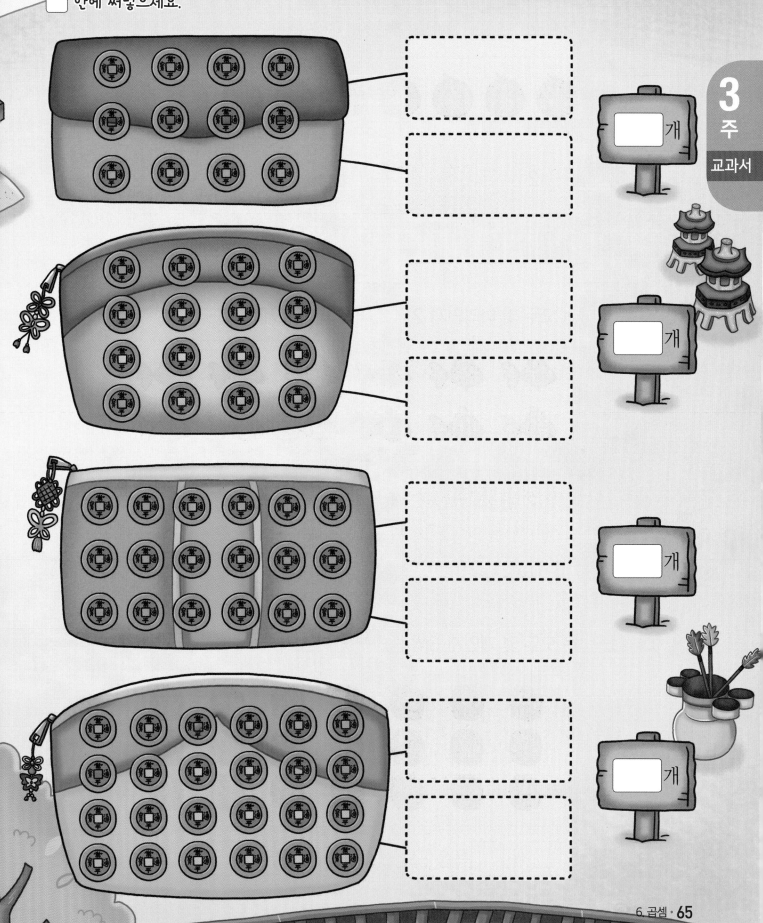

개념 1 여러 가지 방법으로 세기

01 수박은 모두 몇 통인지 하나씩 세어 보세요.

| 1 | 2 | | | | | | | |

( )

02 금붕어는 모두 몇 마리인지 2씩 뛰어서 세어 보세요.

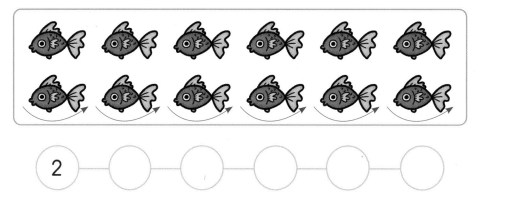

2 ○ ○ ○ ○ ○

( )

03 초콜릿은 모두 몇 개인지 3씩 묶어서 세어 보세요.

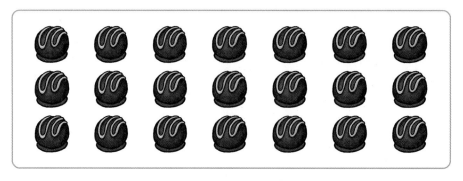

☐씩 ☐묶음이므로 초콜릿은 모두 ☐개입니다.

개념2 **여러 가지 방법으로 센 방법 설명하기**

04 야구공은 모두 몇 개인지 친구들이 세어 보고 센 방법을 말한 것입니다. 바르게 말한 친구의 이름을 모두 써 보세요.

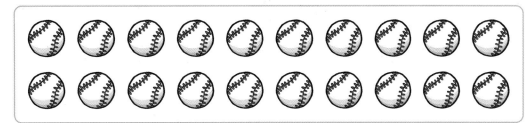

은지

야구공을 '1, 2, 3⋯⋯'으로 하나씩 세면 모두 20개야.

야구공을 6씩 뛰어서 세면 6, 12, 18, 24로 모두 24개야.
세형

다영

야구공을 5씩 묶어서 세면 4묶음이야.

(   )

05 그림을 보고 물음에 답하세요.

(1) 당근은 모두 몇 개일까요?

(   )

(2) 위 (1)에서 어떤 방법으로 세었는지 설명해 보세요.

방법1 _____

방법2 _____

개념3 · 묶어 세기

06 그림을 보고 물음에 답하세요.

(1) 아이스크림은 **4**씩 몇 묶음일까요? (   )

(2) 아이스크림은 모두 몇 개일까요? (   )

07 관계있는 것끼리 선으로 이어 보세요.

3씩 5묶음	•		•	30
8씩 3묶음	•		•	24
6씩 5묶음	•		•	15

08 ⭐ 모양은 모두 몇 개인지 두 가지 방법으로 묶어 세어 보세요.

(1) 2씩 묶고 모두 몇 묶음인지 구해 보세요.

 ➡ (   )

(2) 4씩 묶고 모두 몇 묶음인지 구해 보세요.

➡ (   )

(3) ⭐ 모양은 모두 몇 개일까요?

(   )

개념 4 몇의 몇 배 알아보기

09 그림을 보고 ☐ 안에 알맞은 수를 써넣으세요.

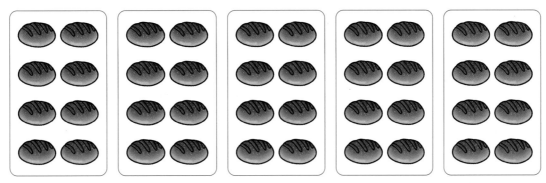

(1) 8씩 5묶음은 8의 ☐ 배입니다.

(2) 8+☐+☐+☐+☐=☐입니다.

(3) 8의 ☐ 배는 ☐입니다.

10 27은 9의 몇 배인지 구하려고 합니다. ☐ 안에 알맞은 수를 써넣으세요.

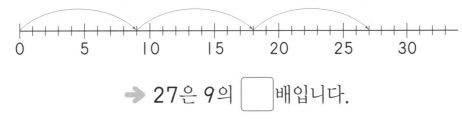

➡ 27은 9의 ☐ 배입니다.

11 영진이의 나이는 8살입니다. 고모의 나이는 영진이의 나이의 4배입니다. 고모의 나이는 몇 살일까요?

(   )

개념 5 **곱셈식 알아보기**

12 그림을 보고 빈칸에 알맞은 곱셈식을 써넣으세요.

6×1=6			

13 풍선의 수를 덧셈식과 곱셈식으로 나타내어 보세요.

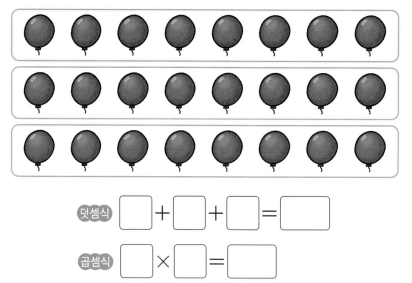

덧셈식 ☐＋☐＋☐＝☐

곱셈식 ☐×☐＝☐

14 잠자리 한 마리의 날개는 4장입니다. 잠자리 7마리의 날개는 모두 몇 장인지 구해 보세요.

☐×☐＝☐ ➡ ☐ 장

개념6 곱셈식으로 나타내기

15 주머니 한 개에 사탕이 3개씩 들어 있습니다. 사탕은 모두 몇 개인지 알아보려고 합니다. 물음에 답하세요.

(1) 사탕의 수는 3의 몇 배일까요?

(   )

(2) 사탕의 수를 덧셈식으로 나타내어 보세요.

(덧셈식) _____

(3) 사탕의 수를 곱셈식으로 나타내어 보세요.

(곱셈식) _____

(4) 사탕은 모두 몇 개일까요?

(   )

16 단추 구멍의 수를 곱셈식으로 바르게 나타낸 것을 찾아 이어 보세요.

 •
       •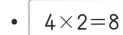

 •
       •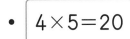

 •
       • $4 \times 4 = 16$

⭐ **곱의 크기 비교하기**

1 나타내는 수가 가장 큰 것을 찾아 기호를 써 보세요.

> ㉠ 6+6+6+6+6   ㉡ 7 곱하기 5
>
> ㉢ 3×9   ㉣ 8씩 4묶음

답 _____

개념 피드백 ① ㉠, ㉡, ㉢, ㉣이 나타내는 수를 곱셈식을 이용하여 각각 구합니다.
② ①에서 구한 곱의 크기를 비교하여 가장 큰 곱을 찾습니다.

1-1 나타내는 수의 크기를 비교하여 ○ 안에 >, =, <를 알맞게 써넣으세요.

(1)   4와 6의 곱   ○   5+5+5+5+5

(2)   9씩 5묶음   ○   6 곱하기 7

1-2 연필을 가은이는 7자루씩 4묶음 가지고 있고, 영수는 5자루씩 6묶음 가지고 있습니다. 두 사람 중 연필을 더 많이 가지고 있는 사람은 누구일까요?

(   )

★ 여러 가지 곱셈식으로 나타내기

2 장미꽃은 모두 몇 송이인지 여러 가지 곱셈식으로 나타내어 보세요.

답 $\square \times \square = \square$, $\square \times \square = \square$,

$\square \times \square = \square$, $\square \times \square = \square$

개념 피드백 ① 장미꽃을 몇 송이씩 똑같이 묶을 수 있는지 알아봅니다.

② ①에서 찾은 수만큼 묶고 곱셈식으로 나타냅니다. ●송이씩 ▲묶음 ➡ ●×▲

2-1 계산 결과가 16인 것을 모두 찾아 기호를 써 보세요.

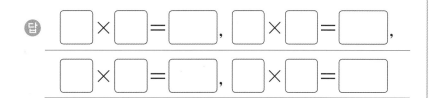

ㄱ 4×4   ㄴ 2×9
ㄷ 2×8   ㄹ 3×4

(   )

2-2 귤이 한 봉지에 6개씩 2봉지 있습니다. 이 귤을 한 봉지에 4개씩 다시 담으면 몇 봉지가 될까요?

(   )

★ **고르는 방법의 수 구하기**

3 주호는 티셔츠와 바지를 하나씩 골라 입으려고 합니다. 모두 몇 가지 방법으로 입을 수 있는지 구해 보세요.

답 _____

개념
피드백
① 티셔츠와 바지를 선으로 모두 연결합니다.
② 티셔츠와 바지를 입을 수 있는 방법은 모두 몇 가지인지 구합니다.

3-1 떡볶이집에서 파는 떡볶이와 음료수가 각각 다음과 같을 때 떡볶이와 음료수를 하나씩 고를 수 있는 방법은 모두 몇 가지일까요?

떡볶이	매운 떡볶이	옛날 떡볶이
	짜장 떡볶이	즉석 떡볶이

음료수	쿨피스	콜라	사이다

(   )

3-2 ㉮에서 출발하여 ㉯를 거쳐 ㉰까지 길을 따라가는 방법은 모두 몇 가지일까요?
(단, 되돌아오는 것은 생각하지 않습니다.)

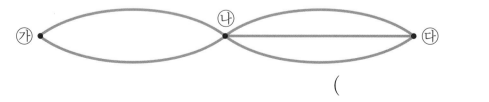

(   )

★ 곱셈식에서 □ 안의 수 구하기

4 □ 안에 알맞은 수가 가장 큰 것을 찾아 기호를 써 보세요.

$$⊙ \ 7×□=35 \qquad ⓒ \ 3×□=18$$

$$ⓒ \ □×8=72 \qquad ⓔ \ □×6=42$$

답 _____

① □ 안에 알맞은 수를 각각 구합니다.
② ①에서 구한 수의 크기를 비교하여 가장 큰 수를 찾습니다.

4-1 그림을 보고 □ 안에 알맞은 수를 써넣으세요.

$$4×□=□$$

4-2 □ 안에 알맞은 수를 써넣으세요.

(1) $5×□=40$ \qquad (2) $□×7=21$

(3) $8×□=56$ \qquad (4) $□×9=81$

★ **곱셈하고 덧셈하기**

5 과일 가게에 한 상자에 6개씩 들어 있는 사과가 7상자 있고, 복숭아는 사과보다 4개 더 많습니다. 복숭아는 모두 몇 개인지 구해 보세요.

답 _____

개념 피드백
① 사과의 수를 구합니다.
② 복숭아의 수를 구합니다.

5-1 문구점에서 한 묶음에 3권씩 들어 있는 공책 8묶음과 낱개 2권을 샀습니다. 산 공책은 모두 몇 권인지 구해 보세요.

( )

5-2 꽃병이 5개 있습니다. 꽃을 꽃병 한 개에 4송이씩 꽂았더니 3송이가 남았습니다. 꽃은 모두 몇 송이인지 구해 보세요.

( )

5-3 혜미의 나이는 8살이고 어머니의 나이는 혜미의 나이의 4배보다 5살 더 많습니다. 어머니의 나이는 몇 살인지 구해 보세요.

( )

★ 곱셈하고 뺄셈하기

6 민지는 연필을 9자루씩 6묶음 가지고 있습니다. 그중에서 동생에게 11 자루를 주었다면 남은 연필은 몇 자루인지 구해 보세요.

답 _____

> **개념 피드백**
> ① 처음에 가지고 있던 연필의 수를 구합니다.
> ② 동생에게 주고 남은 연필의 수를 구합니다.

6-1 주희는 한 봉지에 7개씩 들어 있는 참외를 5봉지 샀습니다. 그중에서 6개 를 먹었다면 남은 참외는 몇 개인지 구해 보세요.

(   )

6-2 상자에 빨간 구슬은 5개씩 5묶음 들어 있고, 파란 구슬은 빨간 구슬보다 7 개 적게 들어 있습니다. 파란 구슬은 몇 개인지 구해 보세요.

(   )

6-3 철사의 길이는 6 cm이고 리본의 길이는 철사의 길이의 8배보다 9 cm 짧 습니다. 리본의 길이는 몇 cm인지 구해 보세요.

(   )

1 한 상자에 배가 3개씩 2줄 들어 있습니다. 7상자에 들어 있는 배는 모두 몇 개인지 구해 보세요.

✐ 구하려는 것, 주어진 것에 선을 그어 봅니다.

해결하기 (한 상자에 들어 있는 배의 수)= ☐ × ☐

= ☐ (개)

(7상자에 들어 있는 배의 수)= ☐ × ☐

= ☐ (개)

따라서 7상자에 들어 있는 배는 모두 ☐ 개입니다.

답 구하기 ☐

2 어머니께서 한 상자에 2병씩 4줄 들어 있는 음료수를 8상자 샀습니다. 어머니께서 산 음료수는 모두 몇 병인지 구해 보세요.

✐ 구하려는 것, 주어진 것에 선을 그어 봅니다.

해결하기

_____

_____

_____

답 구하기 _____

3 동민이네 농장에는 닭 5마리와 돼지 7마리가 있습니다. 동민이네 농장에 있는 닭과 돼지의 다리는 모두 몇 개인지 구해 보세요.

✏️ 구하려는 것, 주어진 것에 선을 그어 봅니다.

해결하기 닭 1마리의 다리 수는 ☐ 개입니다.

(닭 5마리의 다리 수)= ☐ × ☐ = ☐ (개)

돼지 1마리의 다리 수는 ☐ 개입니다.

(돼지 7마리의 다리 수)= ☐ × ☐ = ☐ (개)

따라서 닭 5마리와 돼지 7마리의 다리는 모두

☐ + ☐ = ☐ (개)입니다.

답 구하기 ☐

4 공원에 세발자전거가 8대, 네발자전거가 6대 있습니다. 공원에 있는 세발자전거와 네발자전거의 바퀴는 모두 몇 개인지 구해 보세요.

✏️ 구하려는 것, 주어진 것에 선을 그어 봅니다.

해결하기

_____

_____

_____

_____

_____

답 구하기 _____

준비물 붙임딱지

곱셈식을 보고 각각의 과일이 나타내는 수를 □ 안에 써넣고 각 수에 맞는
과일 붙임딱지를 붙여 보세요.

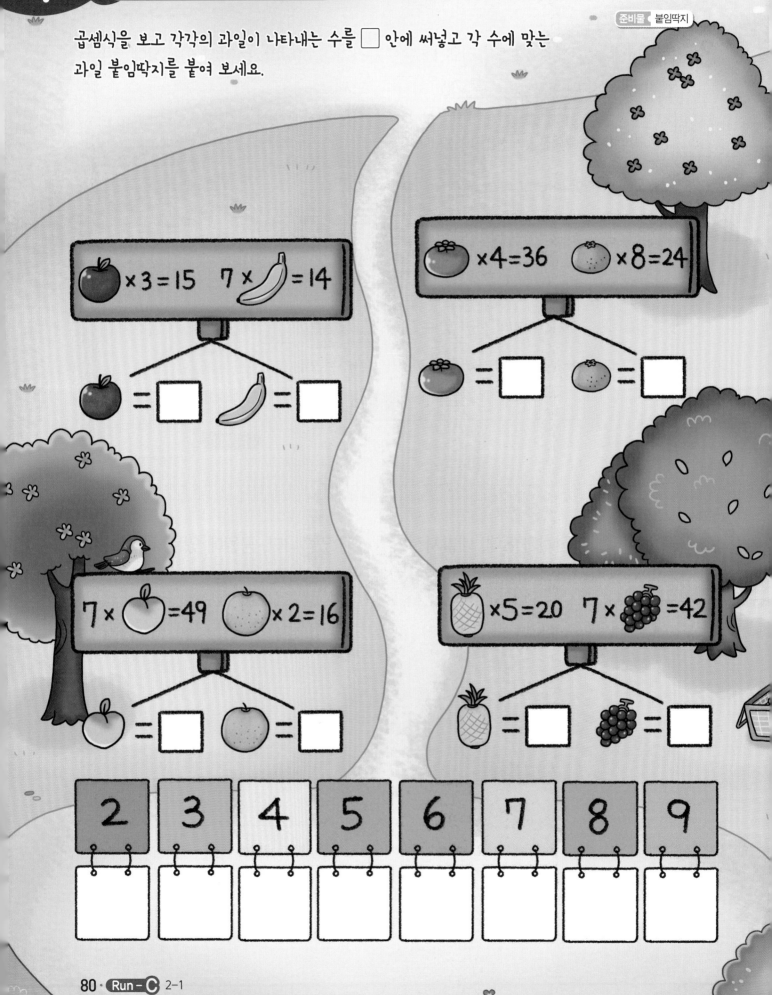

$$🍎 \times 3 = 15 \qquad 7 \times 🍌 = 14$$

$$🍎 = \boxed{} \qquad 🍌 = \boxed{}$$

$$🍅 \times 4 = 36 \qquad 🍊 \times 8 = 24$$

$$🍅 = \boxed{} \qquad 🍊 = \boxed{}$$

$$7 \times 🍑 = 49 \qquad 🍊 \times 2 = 16$$

$$🍑 = \boxed{} \qquad 🍊 = \boxed{}$$

$$🍍 \times 5 = 20 \qquad 7 \times 🍇 = 42$$

$$🍍 = \boxed{} \qquad 🍇 = \boxed{}$$

2	3	4	5	6	7	8	9

곱셈 결과에 맞는 곱셈식이 완성되도록 과일 붙임딱지를 붙여 보세요.

$$\square \times \square = 24$$

$$\square \times \square = 35$$

$$\square \times \square = 30$$

$$\square \times \square = 18$$

$$\square \times \square = 6$$

$$\square \times \square = 32$$

$$\square \times \square = 63$$

준비물 붙임딱지

동물의 다리 수의 합이 같도록 주어진 동물 붙임딱지를 붙여 보고 곱셈식을 완성하세요.

문어

□ × □ = □

거북이

□ × □ = □

말

□ × □ = □

독수리

□ × □ = □

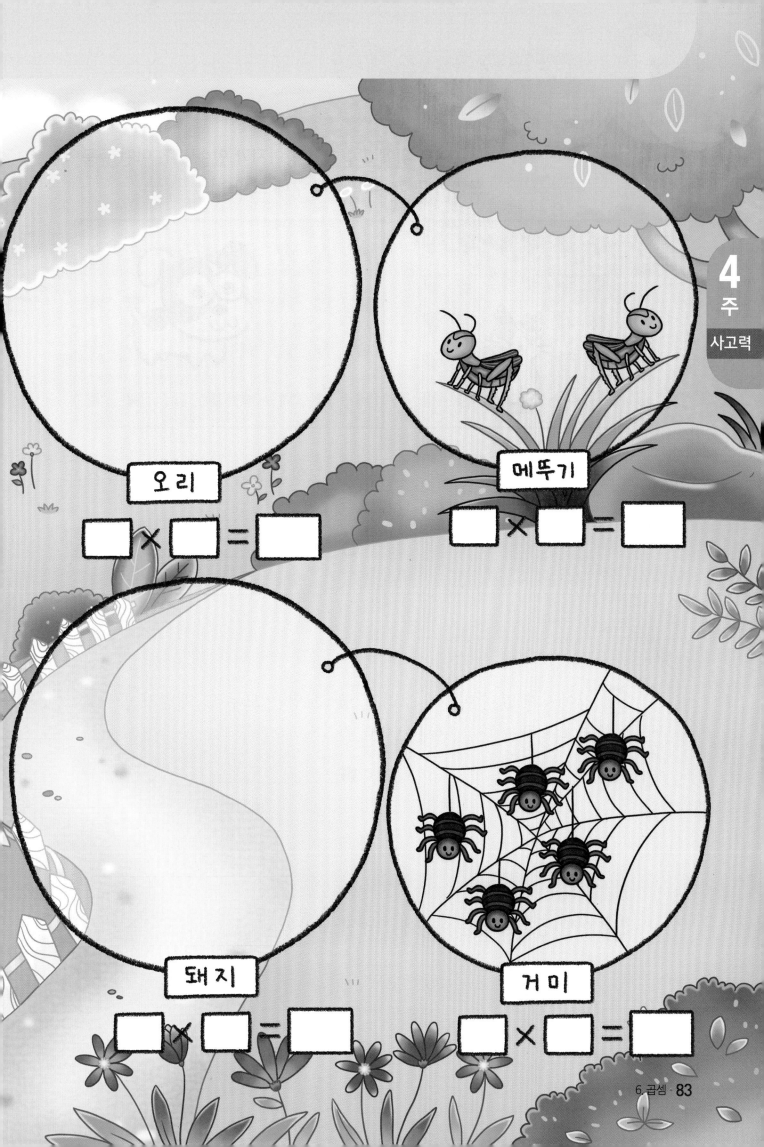

오리

☐ × ☐ = ☐

메뚜기

☐ × ☐ = ☐

돼지

☐ × ☐ = ☐

거미

☐ × ☐ = ☐

1 규칙적인 모양이 그려진 이불 위에 고양이와 강아지가 있습니다. 어떤 동물이 있는 이불에 그려진 모양이 몇 개 더 많은지 구해 보세요.

❶ 고양이가 있는 이불에 그려진 ♥ 모양은 모두 몇 개인지 곱셈식으로 나타내고 답을 구해 보세요.

식 _____

답 _____

❷ 강아지가 있는 이불에 그려진 ★ 모양은 모두 몇 개인지 곱셈식으로 나타내고 답을 구해 보세요.

식 _____

답 _____

❸ 어떤 동물이 있는 이불에 그려진 모양이 몇 개 더 많은지 구해 보세요.

(   ), (   )

2 4장의 수 카드 중 2장을 골라 한 번씩 사용하여 두 수의 곱셈식을 만들려고 합니다. 두 수의 곱이 가장 클 때와 가장 작을 때의 곱의 합을 구해 보세요.

① 두 수의 곱이 가장 클 때의 곱셈식을 만들어 보세요.

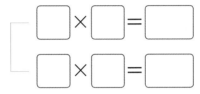

② 두 수의 곱이 가장 작을 때의 곱셈식을 만들어 보세요.

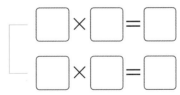

③ 두 수의 곱이 가장 클 때와 가장 작을 때의 곱의 합을 구해 보세요.

(   )

3 보기와 같이 표의 빈칸에 알맞은 수를 써넣고 곱셈식으로 나타내어 보세요.

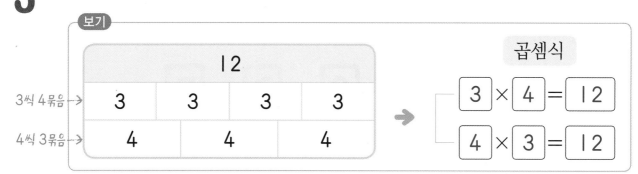

보기

12			
3	3	3	3
4		4	4

3씩 4묶음 →
4씩 3묶음 →

곱셈식

$3 \times 4 = 12$

$4 \times 3 = 12$

①

24					
4	4	4	4	4	4

$\square \times \square = \square$

$\square \times \square = \square$

②

$\square$							
2	2	2	2	2	2	2	2
4		4		4		4	

$\square \times \square = \square$

$\square \times \square = \square$

③

27								
3	3	3	3	3	3	3	3	3

$\square \times \square = \square$

$\square \times \square = \square$

④

36			
9	9	9	9

$\square \times \square = \square$

$\square \times \square = \square$

4 영우는 바둑돌로 다음과 같은 모양을 7개 만들려고 합니다. 필요한 흰색 바둑돌과 검은색 바둑돌 수의 차는 몇 개인지 구해 보세요.

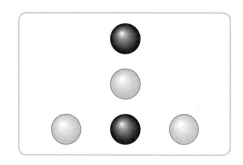

4
주
사고력

❶ 위의 모양을 7개 만드는 데 필요한 흰색 바둑돌은 몇 개인지 구해 보세요.

(   )

❷ 위의 모양을 7개 만드는 데 필요한 검은색 바둑돌은 몇 개인지 구해 보세요.

(   )

❸ 위의 모양을 7개 만드는 데 필요한 흰색 바둑돌과 검은색 바둑돌 수의 차는 몇 개인지 구해 보세요.

(   )

1 다음 도형들의 변은 모두 몇 개인지 구해 보세요.

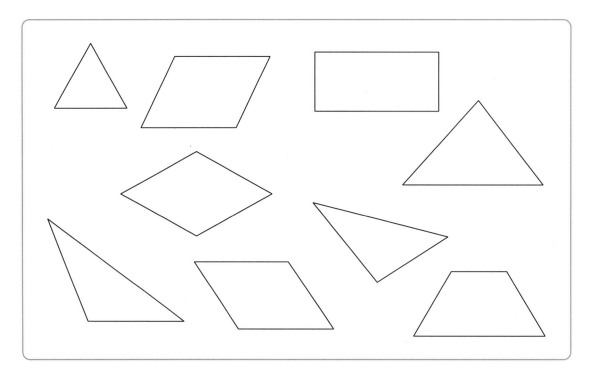

❶ 삼각형을 모두 찾아 변은 모두 몇 개인지 구해 보세요.

( )

❷ 사각형을 모두 찾아 변은 모두 몇 개인지 구해 보세요.

( )

❸ 위 도형들의 변은 모두 몇 개인지 구해 보세요.

( )

2 동물의 다리 수가 같은 것끼리 선으로 이어 보세요.

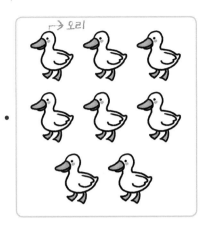

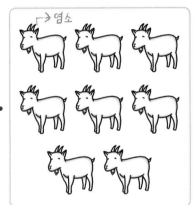

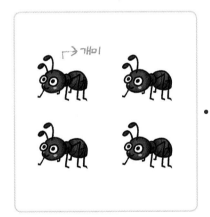

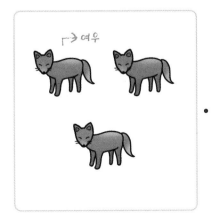

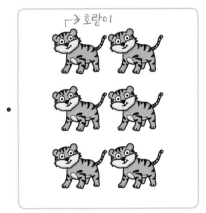

3 곱셈을 이용하여 주어진 값을 만들 수 있는 두 수끼리 모두 연결해 보세요.
(단, 떨어져 있는 수는 연결하지 않습니다.)

①

| 18 |

1	2	4	3	9
5	6	3	8	2
9	2	5	9	1
4	2	6	4	3
8	5	3	7	6

②

| 24 |

3	7	2	6	8
4	6	4	5	3
2	3	5	7	6
3	1	7	4	7
4	8	5	6	2

4 보기에서 규칙을 찾아 빈칸에 알맞은 수를 써넣으세요.

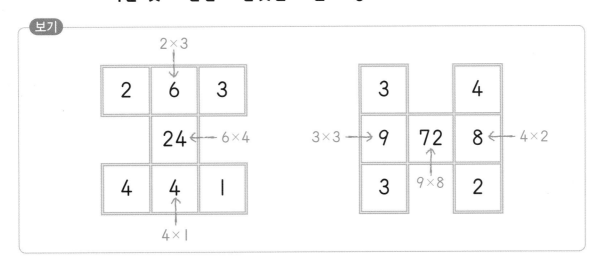

4
주

사고력

①
5	5	
3		3

②
		7
4	28	
2		

③
2		4
	6	1

④
6		1
		5
1		

⑤
1		7
4	8	

⑥
1		2
	54	6

평가 영역 ☐개념 이해력 ☐개념 응용력 ☑창의력 ☐문제 해결력

1 성냥개비로 오른쪽과 같은 모양을 7개 만들려고 합니다.
성냥개비는 모두 몇 개 필요한지 구해 보세요.

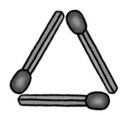

❶ 모양을 1개 만드는 데 성냥개비는 몇 개 필요할까요?

(   )

❷ 모양을 7개 만드는 데 성냥개비는 모두 몇 개 필요할까요?

(   )

평가 영역 ☐개념 이해력 ☐개념 응용력 ☑창의력 ☐문제 해결력

2 면봉으로 오른쪽과 같은 모양을 8개 만들려고 합니다.
면봉은 모두 몇 개 필요한지 구해 보세요.

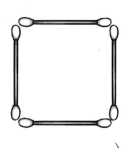

(   )

평가 영역 ☐개념 이해력 ☐개념 응용력 ☐창의력 ☑문제 해결력

3 준수는 친구들과 과녁 맞히기 놀이를 하였습니다. 준수가 맞힌 화살이 오른쪽과 같을 때 준수가 얻은 점수는 모두 몇 점인지 구해 보세요.

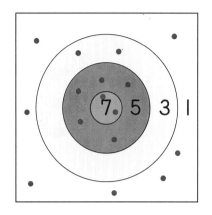

① 빈칸에 알맞은 수를 써넣으세요.

점수(점)	1	3	5	7
맞힌 화살 수(개)				
얻은 점수(점)				

② 준수가 얻은 점수는 모두 몇 점일까요?

(   )

평가 영역 ☐개념 이해력 ☐개념 응용력 ☐창의력 ☑문제 해결력

4 지희는 친구들과 주사위 던지기 놀이를 하였습니다. 지희가 주사위를 10번 던진 결과가 다음과 같을 때 지희가 얻은 점수는 모두 몇 점인지 구해 보세요. (단, 주사위의 눈 1개는 1점을 나타냅니다.)

(   )

1 그림을 보고 ◯ 안에 알맞은 수를 써넣으세요.

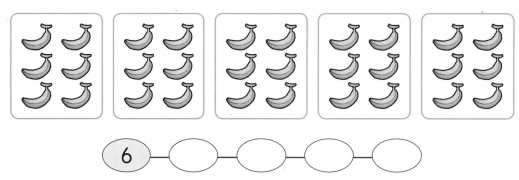

⑥ ─ ◯ ─ ◯ ─ ◯ ─ ◯

2 나비는 모두 몇 마리인지 ☐ 안에 알맞은 수를 써넣으세요.

나비는 4마리씩 ☐ 묶음이므로 모두 ☐ 마리입니다.

3 관계있는 것끼리 선으로 이어 보세요.

7+7+7+7+7 ·	· 5×8
8씩 7묶음 ·	· 8×7
5의 8배 ·	· 7×5

4 다음을 곱셈식으로 나타내어 보세요.

(1) 4 곱하기 5는 20과 같습니다.

➡ 곱셈식 _____

(2) 9 곱하기 7은 63과 같습니다.

➡ 곱셈식 _____

5 ☐ 안에 알맞은 수를 써넣으세요.

(1) 6씩 8묶음은 ☐의 ☐배입니다.

➡ ☐ × ☐ = ☐

(2) 3씩 9묶음은 ☐의 ☐배입니다.

➡ ☐ × ☐ = ☐

6 도토리는 모두 몇 개인지 덧셈식과 곱셈식으로 나타내어 보세요.

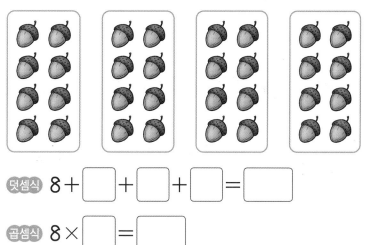

덧셈식 8 + ☐ + ☐ + ☐ = ☐

곱셈식 8 × ☐ = ☐

7 그림을 보고 빈칸에 알맞은 곱셈식을 써넣으세요.

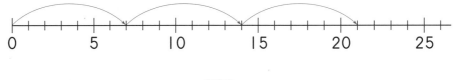

5×1=5			

8 수직선을 보고 곱셈식으로 나타내어 보세요.

0 5 10 15 20 25

곱셈식 _____

9 도넛의 수는 아이스크림의 수의 몇 배인지 구해 보세요.

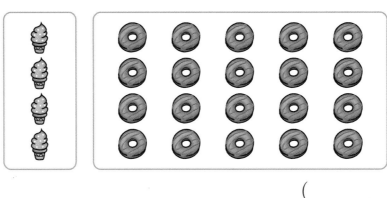

( )

10 그림을 보고 ☐ 안에 알맞은 수를 써넣으세요.

2×☐=☐ , 4×☐=☐

11 계산 결과가 24인 것을 모두 찾아 기호를 써 보세요.

> ㉠ 6×4   ㉡ 7×4
> ㉢ 5×5   ㉣ 3×8

(   )

12 □ 안에 알맞은 수를 써넣으세요.

(1) 3×□=15

(2) 2×□=18

(3) 4×□=12

(4) 6×□=54

13 대화를 읽고 준수가 읽은 동화책은 모두 몇 권인지 곱셈식으로 나타내고 답을 구해 보세요.

나는 동화책을 5권 읽었어.
지우

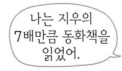
나는 지우의 7배만큼 동화책을 읽었어.

준수

식 _____

답 _____

14 나타내는 수의 크기를 비교하여 ○ 안에 >, =, <를 알맞게 써넣으세요.

(1) 3의 6배 ○ 4씩 4묶음

(2) 7+7+7+7 ○ 9 곱하기 3

15 쌓기나무 한 개의 높이는 2 cm입니다. 쌓기나무 5개의 높이는 몇 cm인지 구해 보세요.

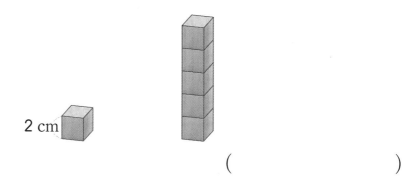

2 cm

( )

16 민지의 나이는 9살입니다. 이모의 나이는 민지의 나이의 3배보다 4살 더 많습니다. 이모의 나이는 몇 살일까요?

( )

17 사탕을 주아는 5개씩 6묶음 가지고 있고, 채민이는 8개씩 3묶음 가지고 있습니다. 두 사람이 가지고 있는 사탕은 모두 몇 개인지 구해 보세요.

( )

특강 창의·융합 사고력

1 퀴즈네어 막대는 1 cm부터 10 cm까지의 길이를 나타내는 크기와 색깔이 다른 10가지 막대로 이루어져 있습니다. 물음에 답하세요.

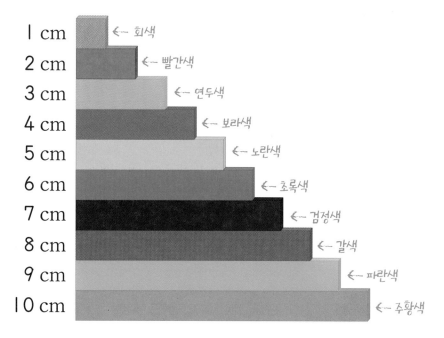

1 cm	← 회색
2 cm	← 빨간색
3 cm	← 연두색
4 cm	← 보라색
5 cm	← 노란색
6 cm	← 초록색
7 cm	← 검정색
8 cm	← 갈색
9 cm	← 파란색
10 cm	← 주황색

(1) 파란색 막대의 길이는 연두색 막대의 길이의 몇 배일까요?

(   )

(2) 보라색 막대의 길이의 2배인 막대는 무슨 색 막대일까요?

(   )

(3) 주황색 막대 1개와 초록색 막대 1개를 연결한 길이는 갈색 막대의 길이의 몇 배일까요?

(   )

Memo

3×6=18

6×3=18

2×9=18

9×2=18

4×6=24

6×4=24

3×8=24

8×3=24

4×7=28

7×4=28

5×4=20

4×5=20

5×5=25

64~65쪽

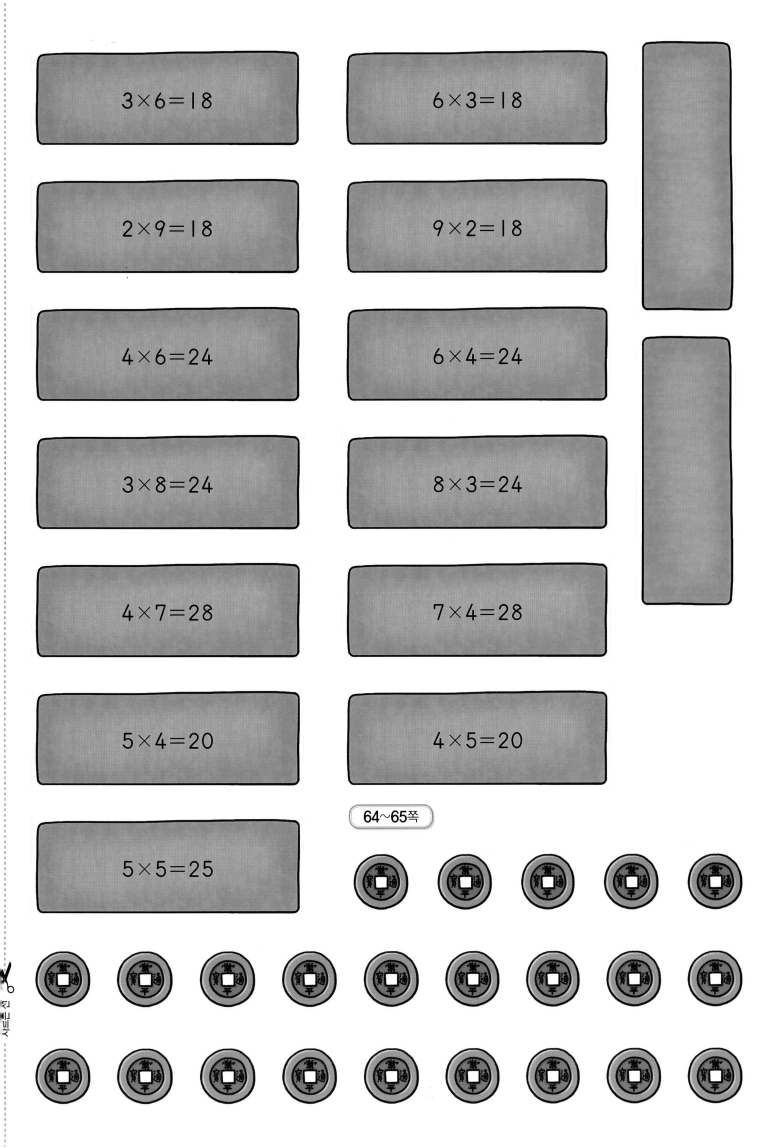

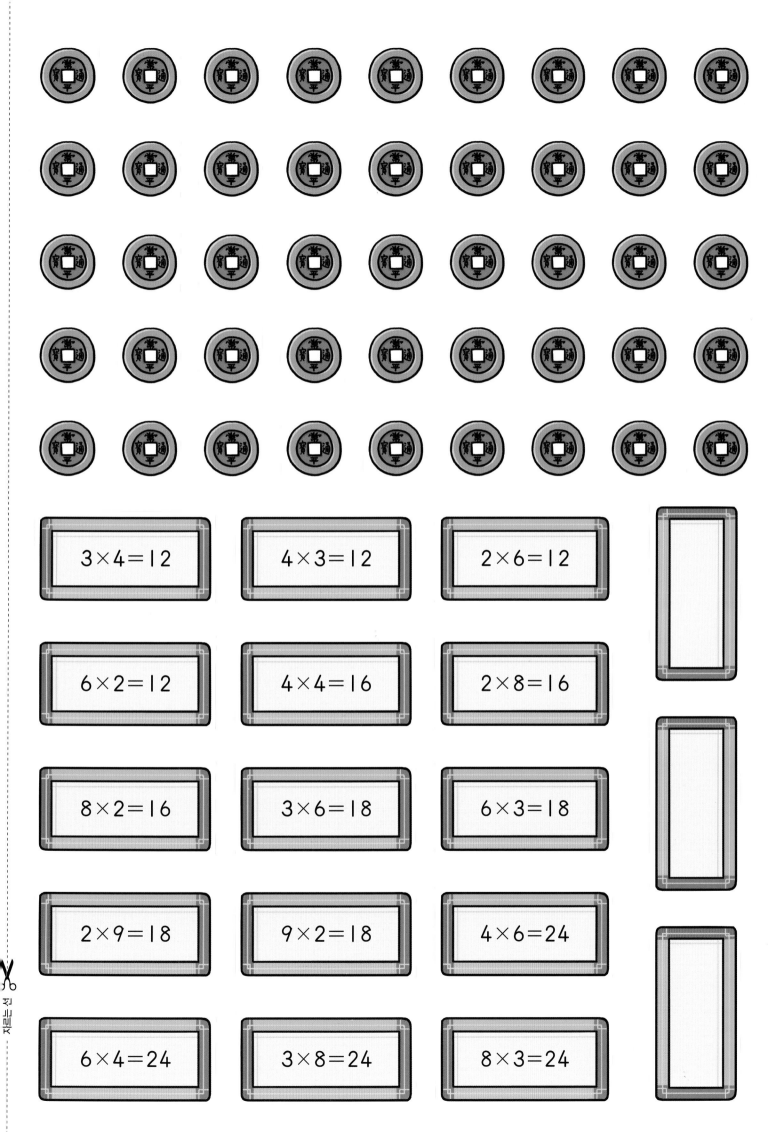

3×4=12 4×3=12 2×6=12

6×2=12 4×4=16 2×8=16

8×2=16 3×6=18 6×3=18

2×9=18 9×2=18 4×6=24

6×4=24 3×8=24 8×3=24

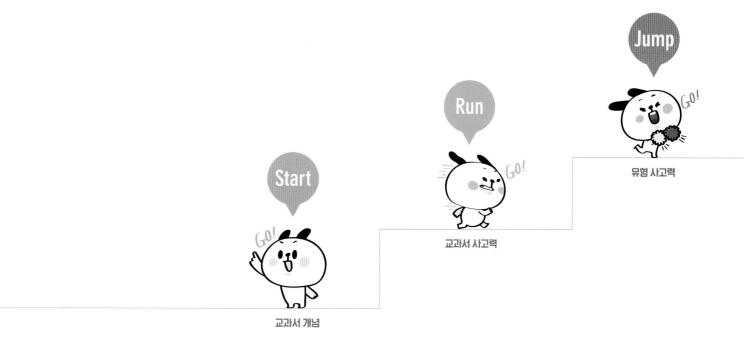

Start

교과서 개념

Run

교과서 사고력

Jump

유형 사고력

#난이도별
#천재되는_수학교재

서술형, 문장제,
사고력 등
문제해결력을
기르는 문제집이
필요하다면?

계산 연습과
식 세우기 연습이
필요하다면?

쉽고 빠르게!
개념을 잡는
얇은 개념서를
찾는다면?

기본부터 응용까지
한 권으로
끝내고 싶다면?

HME
수학학력평가를
준비하고
싶다면?

수학리더 연산

수학리더 개념

수학리더 기본

수학리더 기본+응용

수학리더 응용·심

★

★☆

★★★

★★★★☆

★★★★★★

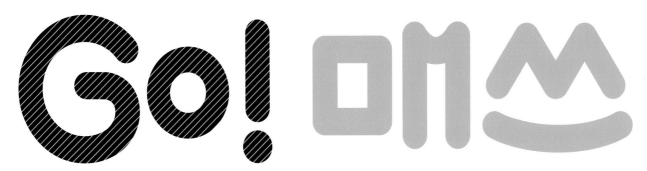

교과서 GO! 사고력 GO!

사고력 중심

Run-C
교과서 사고력

정답과 풀이   수학 2-1

정답과 해설
포인트 2가지

▶ 선생님이나 학부모가 쉽게 문제와 풀이를 한눈에 볼 수 있어요.

▶ 자세한 활동 수업에 대한 팁이 가득하게 들어 있어요.

5 분류하기

분류하여 세어 보기

우리는 생활 속에서 물건들을 분류하여 정리해야 할 경우가 많이 있습니다. 물건을 분류하여 놓지 않으면 물건을 찾는 데 시간이 많이 걸리고, 무엇이 더 많이 사용되는지, 무엇을 더 준비해야 하는지 알 수 없는 일도 많이 일어납니다.

예를 들어 서점에 갔는데 책이 도서별로 분류되어 있지 않으면 원하는 책을 찾는 데 시간이 많이 걸려 불편할 수 있습니다.

➡ 바닥에 책이 지저분하게 있어서 원하는 책을 찾으려고 일일이 책을 뒤져야 하므로 시간이 많이 걸립니다.

🐛 주위에 물건이 분류되어 있지 않아 생길 수 있는 불편함에 대해 이야기 해 보세요.

예 마트에서 물건이 정리되어 있지 않으면 사려고 하는 물건을 찾기가 불편해집니다.

🐻 동물 모양의 젤리를 보고 물음에 답하세요.

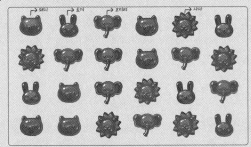

(1) 젤리를 모양에 따라 분류하여 그 수를 세어 보세요.

🐱: 6 개, 🐰: 5 개, 🐘: 7 개, 🦁: 6 개

(2) 어떤 모양의 젤리가 가장 많을까요?

(코끼리)

(3) 젤리를 색깔에 따라 분류하여 그 수를 세어 보세요.

▨: 5 개, ▨: 10 개, ▨: 9 개

(4) 어떤 색깔의 젤리가 가장 적을까요?

(파란색)

① 교과서 개념 잡기

개념 확인 문제

개념 ① 분류하기

• 분류는 기준에 따라 나누는 것입니다.

✕ 예쁜 옷과 예쁘지 않은 옷으로 분류하기

예쁜 옷	예쁘지 않은 옷

기준이 분명하지 않습니다.

➡ 옷을 예쁜 옷과 예쁘지 않은 옷으로 분류하면 사람마다 분류한 결과가 다를 수 있습니다.

✕ 편한 옷과 불편한 옷으로 분류하기

편한 옷	불편한 옷

기준이 분명하지 않습니다.

➡ 옷을 편한 옷과 불편한 옷으로 분류하면 사람마다 분류한 결과가 다를 수 있습니다.

◯ 바지와 치마로 분류하기

바지	치마

기준이 분명합니다.

➡ 바지와 치마로 분류하면 사람마다 분류한 결과가 같습니다.

분류를 할 때는 분명한 기준을 정해서 누가 분류해도 항상 같은 결과가 나오도록 해야 합니다.

1-1 모자를 색깔에 따라 분류하여 기호를 써 보세요.

검은색	빨간색	노란색
㉠, ㉣, ㉻	㉡, ㉤, ㉧	㉢, ㉦

✿ 검은색 모자: ㉠, ㉣, ㉻ 빨간색 모자: ㉡, ㉤, ㉧
노란색 모자: ㉢, ㉦

1-2 분류 기준으로 알맞은 것을 모두 찾아 기호를 써 보세요.

코끼리	다람쥐	돼지	독수리	하마
오리	기린	병아리	사자	공작새

㉠ 귀여운 것과 귀엽지 않은 것
㉡ 날개가 있는 것과 날개가 없는 것
㉢ 다리가 2개인 것과 4개인 것
㉣ 가벼운 것과 무거운 것

(㉡, ㉢)

✿ ㉡ 날개가 있는 것: 독수리, 오리, 병아리, 공작새
날개가 없는 것: 코끼리, 다람쥐, 돼지, 하마, 기린, 사자
㉢ 다리가 2개인 것: 독수리, 오리, 병아리, 공작새
다리가 4개인 것: 코끼리, 다람쥐, 돼지, 하마, 기린, 사자

① 교과서 개념 잡기

개념 **2** 기준에 따라 분류하기

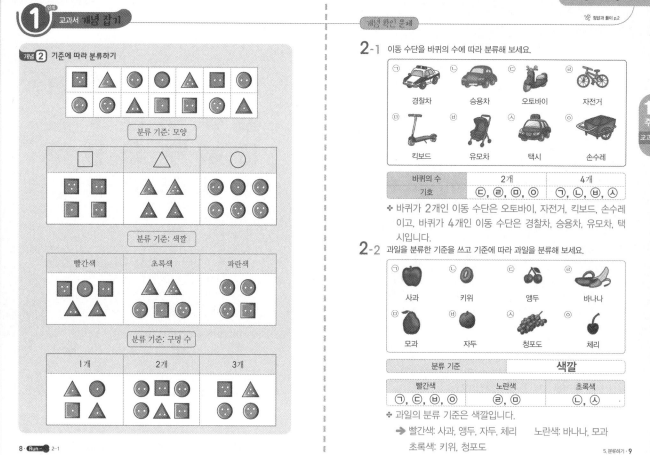

분류 기준: 모양

분류 기준: 색깔

분류 기준: 구멍 수

개념 확인 문제

정답과 풀이 p.2

2-1 이동 수단을 바퀴의 수에 따라 분류해 보세요.

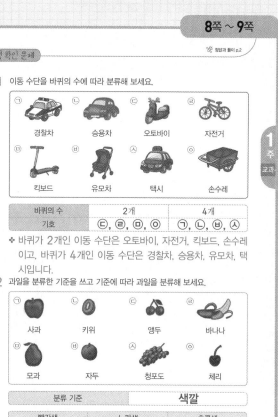

| 경찰차 | 승용차 | 오토바이 | 자전거 |
| 킥보드 | 유모차 | 택시 | 손수레 |

바퀴의 수	2개	4개
기호	㉢, ㉣, ㉤, ㉧	㉠, ㉡, ㉥, ㉦

✿ 바퀴가 2개인 이동 수단은 오토바이, 자전거, 킥보드, 손수레이고, 바퀴가 4개인 이동 수단은 경찰차, 승용차, 유모차, 택시입니다.

2-2 과일을 분류한 기준을 쓰고 기준에 따라 과일을 분류해 보세요.

| ㉠ 사과 | ㉡ 키위 | ㉢ 앵두 | ㉣ 바나나 |
| ㉤ 모과 | ㉥ 자두 | ㉦ 청포도 | ㉧ 체리 |

분류 기준	색깔

빨간색	노란색	초록색
㉠, ㉢, ㉥, ㉧	㉣, ㉤	㉡, ㉦

✿ 과일의 분류 기준은 색깔입니다.
➡ 빨간색: 사과, 앵두, 자두, 체리   노란색: 바나나, 모과
초록색: 키위, 청포도

---

① 교과서 개념 잡기

개념 **3** 분류하여 세어 보기

· 자료를 빠뜨리지 않고 모두 세기 위하여 하나씩 셀 때마다 종류별로 ✓, ○, ✕ 등의 표시를 하면서 셉니다.
· 세면서 표시할 때 '⽣' 대신 '正'를 이용할 수도 있습니다.

| ㉠ 포도 맛 | ㉡ 사과 맛 | ㉢ 딸기 맛 | ㉣ 포도맛 | ㉤ 사과 맛 | ㉥ 딸기 맛 |
| ㉦ 딸기 맛 | ㉧ 포도 맛 | ㉨ 딸기 맛 | ㉩ 사과 맛 | ㉪ 딸기 맛 | ㉫ 사과 맛 |

분류 기준: 사탕의 맛

맛	포도 맛	사과 맛	딸기 맛
기호	㉠, ㉣, ㉧	㉡, ㉤, ㉩, ㉫	㉢, ㉥, ㉦, ㉨, ㉪
사탕의 수(개)	3	4	5

분류 기준: 사탕의 모양

모양			
세면서 표시하기	/////	/////	/////
사탕의 수(개)	4	5	3

개념 확인 문제

정답과 풀이 p.2

🥛 여러 가지 우유가 있습니다. 물음에 답하세요.

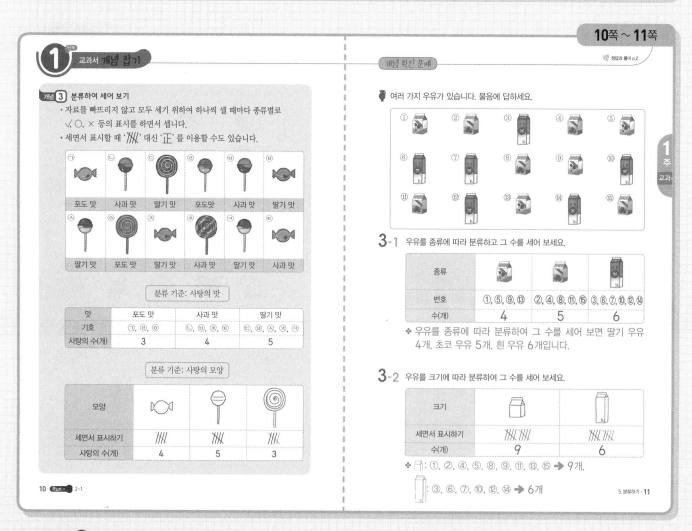

3-1 우유를 종류에 따라 분류하고 그 수를 세어 보세요.

종류			
번호	①, ⑤, ⑨, ⑬	②, ④, ⑧, ⑪, ⑮	③, ⑥, ⑦, ⑩, ⑫, ⑭
수(개)	4	5	6

✿ 우유를 종류에 따라 분류하여 그 수를 세어 보면 딸기 우유 4개, 초코 우유 5개, 흰 우유 6개입니다.

3-2 우유를 크기에 따라 분류하여 그 수를 세어 보세요.

크기		
세면서 표시하기	///// ////	///// /
수(개)	9	6

✿ 🥛: ①, ②, ④, ⑤, ⑧, ⑨, ⑪, ⑬, ⑮ ➡ 9개,
🥛: ③, ⑥, ⑦, ⑩, ⑫, ⑭ ➡ 6개

① 교과서 개념 잡기

개념 4 분류한 결과 말해 보기

진주네 반 학생들이 좋아하는 과일을 조사하였습니다.

사과	포도	귤	포도	사과	귤
귤	포도	사과	귤	귤	사과
사과	귤	포도	사과	포도	사과

분류 기준	과일의 종류

종류	사과	포도	귤
세면서 표시하기	〰	〰	〰
학생 수(명)	7	5	6

➜ **분류한 결과**

① 과일의 종류에 따라 분류한 결과 사과를 좋아하는 학생은 **7**명, 포도를 좋아하는 학생은 **5**명, 귤을 좋아하는 학생은 **6**명입니다.

② 가장 많은 학생들이 좋아하는 과일은 **사과**입니다.

③ 가장 적은 학생들이 좋아하는 과일은 **포도**입니다.

④ 많은 학생들이 좋아하는 과일부터 차례로 쓰면 **사과, 귤, 포도**입니다.

⑤ 귤을 좋아하는 학생이 포도를 좋아하는 학생보다 많습니다.

⑥ 진주네 반 학생들과 있을 때는 가장 많은 학생들이 좋아하는 사과를 준비하여 나눠 먹는 것이 좋습니다.

개념 확인 문제

정답과 풀이 p.3

오늘 하루 동안 빵집에서 팔린 빵입니다. 물음에 답하세요.

4-1 빵을 종류에 따라 분류하여 그 수를 세어 보세요.

종류	식빵	크로와상	소세지 빵
세면서 표시하기	〰 〰	〰 〰	〰 〰
빵의 수(개)	5	6	9

4-2 오늘 하루 동안 가장 많이 팔린 빵은 무엇이고, 가장 적게 팔린 빵은 무엇일까요?

가장 많이 팔린 빵 (**소세지 빵**)
가장 적게 팔린 빵 (**식빵**)

✦ 가장 많이 팔린 빵은 9개가 팔린 소세지 빵이고 가장 적게 팔린 빵은 5개가 팔린 식빵입니다.

4-3 내일은 빵집에서 어떤 빵을 더 많이 만들면 좋을지 써 보세요.

(**소세지 빵**)

✦ 가장 많이 팔린 빵은 소세지 빵이므로 소세지 빵을 더 준비하면 좋겠습니다.

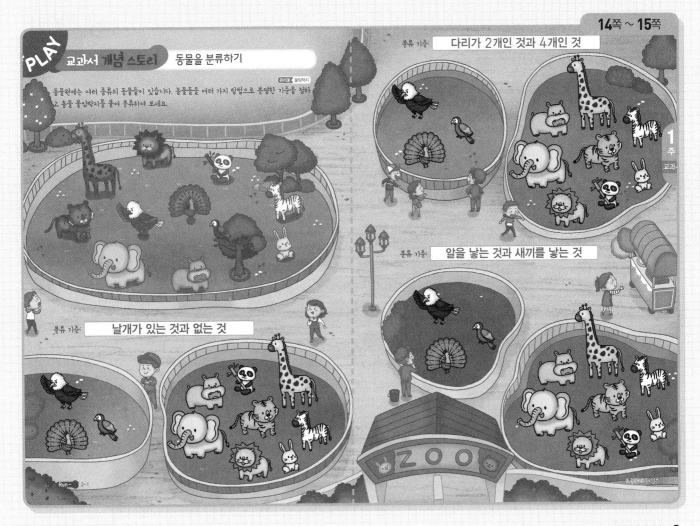

PLAY 교과서 개념 스토리 동물을 분류하기

동물원에는 여러 종류의 동물들이 있습니다. 동물들을 여러 가지 방법으로 분명한 기준을 정하고 동물 붙임딱지를 붙여 분류하여 보세요.

분류 기준: **다리가 2개인 것과 4개인 것**

분류 기준: **알을 낳는 것과 새끼를 낳는 것**

분류 기준: **날개가 있는 것과 없는 것**

PLAY 교과서 개념 스토리 날씨를 분류하여 세어 보기

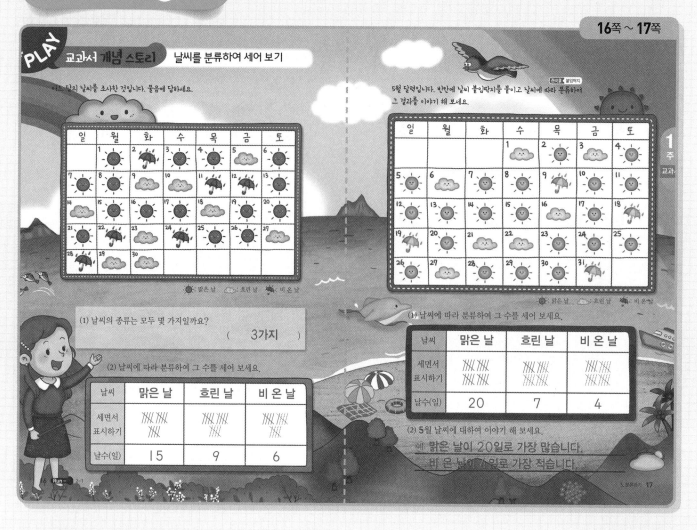

어느 달의 날씨를 조사한 것입니다. 물음에 답하세요.

(1) 날씨의 종류는 모두 몇 가지일까요?

(3가지)

(2) 날씨에 따라 분류하여 그 수를 세어 보세요.

날씨	맑은 날	흐린 날	비 온 날
세면서 표시하기	〢〢〢	〢〢	〢
날수(일)	15	9	6

5월 달력입니다. 빈칸에 날씨 붙임딱지를 붙이고 날씨에 따라 분류하여 그 결과를 이야기 해 보세요.

(1) 날씨에 따라 분류하여 그 수를 세어 보세요.

날씨	맑은 날	흐린 날	비 온 날
세면서 표시하기	〢〢〢〢	〢〢	〢
날수(일)	20	7	4

(2) 5월 날씨에 대하여 이야기 해 보세요.

예 맑은 날이 20일로 가장 많습니다.
비 온 날이 4일로 가장 적습니다.

2단계 교과서 개념 다지기

정답과 풀이 p.4

개념 1 분류 기준 알아보기

01 분류 기준으로 알맞지 않은 이유를 찾아 이어 보세요.

분류 기준: 접시의 모양

분류 기준이 분명하지 않습니다.

분류 기준: 비싼 것과 비싸지 않은 것

분류 기준으로 나누어지지 않습니다.

✤ • 접시의 모양이 모두 같으므로 분류 기준으로 나누어지지 않습니다.
 • 비싼 것과 비싸지 않은 것은 분류 기준이 분명하지 않으므로 분류 기준으로 알맞지 않습니다.

02 다음 악기들의 분류 기준으로 알맞은 것을 모두 찾아 기호를 써 보세요.

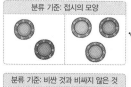

장구 기타 북 가야금 징 바이올린

㉠ 좋아하는 것과 좋아하지 않는 것
㉡ 서양 악기와 국악기
㉢ 소리를 내는 방법
㉣ 아름다운 소리가 나는 것과 나지 않는 것

(㉡, ㉢)

✤ ㉠과 ㉣은 사람마다 결과가 다를 수 있으므로 분명한 분류 기준이 될 수 있는 것은 ㉡, ㉢입니다.

개념 2 기준에 따라 분류하기

[03~04] 동물들을 정해진 기준에 따라 분류하여 보세요.

㉠ 독수리 ㉡ 사자 ㉢ 얼룩말 ㉣ 토끼
㉤ 코끼리 ㉥ 염소 ㉦ 치타 ㉧ 기린

03 분류 기준: 다리의 수

다리의 수	2개	4개
기호	㉠	㉡, ㉢, ㉣, ㉤, ㉥, ㉦, ㉧

04 분류 기준: 먹이

먹이	풀을 먹고 사는 동물	고기를 먹고 사는 동물
기호	㉢, ㉣, ㉤, ㉥, ㉧	㉠, ㉡, ㉦

✤ 독수리는 고기를 먹고 사는 동물이고 코끼리는 풀을 먹고 사는 동물임에 주의합니다.

05 물건을 기준에 따라 분류한 것입니다. 잘못 분류된 것에 ×표 하세요.

✤ 모양에 따라 분류한 것이므로 지우개는 제일 왼쪽 칸으로 옮겨야 합니다.

②단계 교과서 개념 다지기

정답과 풀이 p.5

개념3 분류 기준 정하기

06 칠교판의 조각을 기준을 정하여 분류하려고 합니다. 분류 기준으로 알맞은 것에 ○표 하세요.

분류 기준

색깔   **모양**

❖ 칠교판의 조각을 모양에 따라 삼각형, 사각형으로 분류할 수 있습니다.

07 단추를 기준을 정하여 분류하려고 합니다. 분류 기준으로 알맞은 것에 모두 ○표 하세요.

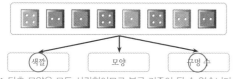

색깔   모양   **구멍 수**

❖ 단추 모양은 모두 사각형이므로 분류 기준이 될 수 없습니다.

08 그림의 누름 못을 기준을 정하여 분류하려고 합니다. 분류할 수 있는 서로 다른 기준을 빈 곳에 써 보세요.

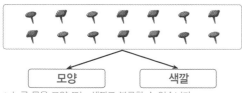

모양   **색깔**

❖ 누름 못을 모양 또는 색깔로 분류할 수 있습니다.

20 · Run~ 2-1

개념4 기준에 따라 분류하여 세어 보기

09 여러 가지 물건을 모양에 따라 분류하여 그 수를 세어 보세요.

모양	▢	▢	○
세면서 표시하기	////	///	/////
물건의 수(개)	4	3	5

❖ 물건을 모양에 따라 분류하여 그 수를 세어 보면 ▢ 모양은 4개, ▢ 모양은 3개, ○ 모양은 5개입니다.

10 돼지 저금통에서 나온 동전입니다. 동전을 금액에 따라 분류하여 그 수를 세어 보세요.

금액	⑩	⑩⑩	⑤⑩⑩
세면서 표시하기	//// /	//// /	////
동전 수(개)	5	6	4

❖ 동전을 금액에 따라 분류하여 그 수를 세어 보면 10원은 5개, 100원은 6개, 500원은 4개입니다.

5. 분류하기 · 21

---

②단계 교과서 개념 다지기

정답과 풀이 p.5

개념5 기준을 정하고 분류하여 세어 보기

11 여러 가지 글자가 있습니다. 기준을 정하고 분류하여 그 수를 세어 보세요.

h 발 E 글 기 Z
A 영 B m 산 Q

분류 기준	글자 종류	
기준	한글	영어
세면서 표시하기	////	//// //
글자 수(개)	5	7

❖ 중복되거나 겹치지 않게 수를 세어 봅니다.

12 정우네 반 학생들이 좋아하는 요일을 조사하였습니다. 기준을 정하고 분류하여 그 수를 세어 보세요.

가은	토요일	은지	금요일	혜미	토요일
채민	일요일	서진	토요일	종현	일요일
민주	금요일	정우	일요일	연우	토요일
상혁	토요일	영아	금요일	보미	일요일

분류 기준	요일		
	금요일	토요일	일요일
세면서 표시하기	///	////	////
학생 수(명)	3	5	4

❖ 중복되거나 겹치지 않게 수를 셉니다.

22 · Run~ 2-1

개념6 분류한 결과 말해 보기

13 동현이네 반 학생들의 취미를 조사하였습니다. 물음에 답하세요.

| 운동 | 영화 감상 | 운동 | 독서 | 영화 감상 | 운동 |
| 독서 | 운동 | 영화 감상 | 운동 | 운동 | 영화 감상 |

(1) 취미에 따라 분류하여 그 수를 세어 보세요.

취미	운동	영화 감상	독서
학생 수(명)	6	4	2

(2) 가장 많은 학생들의 취미는 무엇일까요?

(**운동**)

❖ 6>4>2이므로 운동이 6명으로 가장 많습니다.

14 연경이의 신발장에 들어 있는 운동화입니다. 색깔에 따라 분류하여 그 수를 세어 보고 □ 안에 알맞은 말을 써넣으세요.

색깔	빨간색	파란색	초록색
운동화 수(켤레)	6	2	4

➡ ① 가장 많은 운동화의 색깔은 **빨간색** 입니다.

② 가장 적은 운동화의 색깔은 **파란색** 입니다.

❖ 운동화를 색깔에 따라 분류하여 그 수를 세어 보면 빨간색이 6켤레로 가장 많고, 파란색이 2켤레로 가장 적습니다.

5. 분류하기 · 23

3 단계 교과서 실력 다지기

정답과 풀이 p.6

★ 분류 기준 정하기

1 다음과 같이 음식을 분류 기준에 따라 분류하였습니다. 분류한 기준으로 알맞지 <u>않은</u> 이유를 써 보세요.

맛있는 것	맛없는 것

이유 **예 맛있는 것과 맛없는 것은 사람마다 다르므로 분류 기준이 분명하지 않습니다.**

개념 키드백
· 분류 기준
분류할 때는 분명한 기준을 정해서 누가 분류하더라도 항상 같은 결과가 나올 수 있어야 합니다.

1-1 옷장의 윗옷들을 두 개의 상자에 나누어 정리하려고 합니다. 윗옷을 분류할 수 있는 기준을 써 보세요.

(**윗옷의 팔 길이**)

✚ 윗옷의 팔 길이에 따라 긴 팔 윗옷과 반팔 윗옷으로 분류할 수 있습니다.

1-2 오른쪽 학생들을 분류하려고 합니다. 분류 기준으로 알맞은 것을 모두 찾아 기호를 써 보세요.

㉠ 똑똑한 학생과 똑똑하지 않은 학생
㉡ 안경 쓴 학생과 안경 쓰지 않은 학생
㉢ 남학생과 여학생
㉣ 착한 학생과 착하지 않은 학생

(**㉡, ㉢**)

✚ 학생들을 남학생과 여학생 또는 안경 쓴 학생과 안경 쓰지 않은 학생으로 분류할 수 있습니다.

★ 분류한 결과 비교하기

2 공원에 있는 나무를 종류에 따라 분류하여 그 수를 센 것입니다. 가장 많은 나무는 가장 적은 나무보다 몇 그루 더 많을까요?

종류	소나무	벚나무	단풍나무	은행나무
나무 수(그루)	5	9	6	7

나무 수가 가장 많은 나무는 **벚나무** 로 **9** 그루이고 가장 적은 나무는 **소나무** 로 **5** 그루입니다.

식 **9 - 5 = 4**

답 **4그루**

개념 키드백
· 기준에 따라 분류한 결과
분류 기준에 따라 분류하고 센 수를 이용하여 가장 많은 것과 가장 적은 것 등을 알 수 있습니다.

2-1 냉장고에 있는 과일을 종류에 따라 분류하여 그 수를 센 것입니다. 사과는 귤보다 몇 개 더 많을까요?

종류	사과	배	귤	감
과일 수(개)	11	5	7	9

✚ 사과는 11개, 귤은 7개이므로 사과는 (**4개**) 귤보다 11 - 7 = 4(개) 더 많습니다.

2-2 민지의 필통에 들어 있는 학용품을 종류에 따라 분류하여 그 수를 센 것입니다. 가장 많이 들어 있는 학용품은 가장 적게 들어 있는 학용품보다 몇 개 더 많을까요?

종류	지우개	연필	풀	색연필
학용품 수(개)	2	5	1	7

✚ 가장 많이 들어 있는 학용품은 색연필로 (**6개**) 7개이고 가장 적게 들어 있는 학용품은 풀로 1개입니다. 따라서 색연필은 풀보다 7 - 1 = 6(개) 더 많습니다.

5. 분류하기 · 25

3 단계 교과서 실력 다지기

정답과 풀이 p.6

★ 두 가지 기준으로 분류하기

3 가게에 있는 우유입니다. 바나나 맛이면서 병에 들어 있는 우유는 모두 몇 개일까요?

① 바나나 맛에 ○표 하세요. ➡ 7개
② 병 모양에 △표 하세요. ➡ 8개
③ ○와 △가 모두 표시되어 있는 우유의 수를 세어 봅니다.

답 **4개**

개념 키드백
· 두 가지 기준으로 분류하기
① 한 가지 기준을 만족하는 것에 ○표 합니다.
② 다른 한 가지 기준을 만족하는 것에 △표 합니다.
③ ○와 △가 모두 표시되어 있는 것을 찾습니다.

3-1 상혁이네 모둠 학생들입니다. 모자를 쓰고 있으면서 파란색 옷을 입은 학생은 모두 몇 명일까요?

(**2명**)

✚ 모자를 쓴 학생은 ○표 한 4명이고 파란색 옷을 입은 학생은 △표 한 3명입니다.
○와 △가 모두 표시되어 있는 학생은 모두 2명입니다.

★ 잘못 분류된 것 찾기

4 냉장고에 있는 음식을 다음과 같이 분류하였습니다. 잘못 분류된 칸을 찾고 그렇게 생각한 이유를 써 보세요.

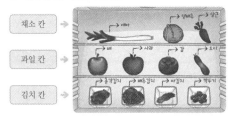

채소 칸 ➡	
과일 칸 ➡	
김치 칸 ➡	

① 잘못 분류된 칸은 **과일** 칸입니다.

② **오이** 를 **채소** 칸으로 옮겨야 합니다.

개념 키드백
· 기준에 따라 분류한 것 확인하기
분류 기준에 맞는 것인지 아닌지 구별하여 잘못 분류된 음식을 찾아 바르게 분류합니다.

✚ 냉장고의 각 칸에서 채소, 과일, 김치에 해당하지 않는 것을 먼저 찾고, 알맞은 칸으로 옮겨 바르게 분류합니다.

4-1 물건을 다음과 같이 분류하였습니다. 잘못 분류된 것을 찾아 ○표 하고, 그렇게 생각한 이유를 써 보세요.

이유 **예 참치 캔은 ▯ 모양인데 ● 모양으로 잘못 분류되어 있습니다. 따라서 참치 캔을 왼쪽 칸으로 옮겨야 합니다.**

5. 분류하기 · 27

③ 교과서 **실력 다지기**

정답과 풀이 p.7

★ 분류하여 센 수 구하기

5 정호네 반 학급 문고에 있는 책 25권을 종류에 따라 분류하여 그 수를 세었습니다. 동화책은 몇 권일까요?

종류	위인전	동화책	역사책
책 수(권)	12		8

① 위인전과 역사책은 모두 **20** 권입니다.

② 동화책의 수를 □라 하여 덧셈식으로 나타냅니다.

$$20 + \square = 25$$

답 **5권**

❖ 20+□=25, 25-20=□, □=**5**

개념 리드북: · 분류하여 센 수 구하기
분류 기준에 따라 나온 항목별 수의 합은 전체 수와 같습니다.

5-1 지후네 냉장고에 있는 과일 20개를 종류에 따라 분류하여 그 수를 세었습니다. 사과는 몇 개일까요?

종류	사과	배	복숭아
과일 수(개)		7	8

(**5개**)

❖ 배와 복숭아는 7+8=15(개)이므로 사과의 수를 □라 하여 식을 세우면 □+15=20, 20-15=□, □=5입니다.

5-2 혜진이는 가지고 있는 머리핀 17개를 색깔에 따라 분류하여 그 수를 세었습니다. 노란색 머리핀은 몇 개일까요?

색깔	빨간색	노란색	파란색	검은색
머리핀 수(개)	4		6	3

❖ 빨간색, 파란색, 검은색 머리핀은 (**4개**)

4+6+3=13(개)이므로 노란색 머리핀 수를 □라 하면 □+13=17, 17-13=□, □=4입니다.

★ 조건에 맞는 수 구하기

6 가은이네 반 학생들이 가지고 있는 동화책 수를 조사하였습니다. 동화책 수가 5권보다 많고 8권보다 적은 학생은 모두 몇 명인지 구해 보세요.

4권	9권	7권	5권	7권	8권
6권	7권	5권	9권	4권	7권
5권	7권	4권	6권	5권	9권

① 동화책 수에 따라 분류하여 그 수를 세어 보세요.

동화책 수	4권	5권	6권	7권	8권	9권
학생 수(명)	3	4	2	5	1	3

② 동화책 수가 5권보다 많고 8권보다 적은 학생 수를 모두 구합니다.

답 **7명**

❖ 6권: 2명, 7권: 5명 ➡ 2+5=7(명)

개념 리드북: · 조건에 맞는 수 구하기
① 주어진 자료를 분류 기준에 따라 분류하여 그 수를 셉니다.
② 조건에 맞는 수를 모두 찾습니다.

6-1 영진이가 주사위를 던져서 나온 눈을 보고 색종이에 눈을 그린 것입니다. 눈의 수가 3보다 크고 6보다 작은 것은 모두 몇 번 나왔는지 구해 보세요.

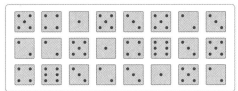

눈의 수	1개	2개	3개	4개	5개	6개
수(개)	3	5	5	3	6	2

(**9번**)

눈의 수가 3보다 크고 6보다 작은 것은 눈의 수가 4개, 5개이므로 모두 3+6=9(번) 나왔습니다.

Test 교과서 **서술형 연습**

정답과 풀이 p.7

1 여러 가지 글자가 있습니다. 글자 종류에 따라 분류하려고 할 때 몇 가지로 분류할 수 있는지 구해 보세요.

나 M 朴 T 마 A 라
李 D 가 金 다 水

해결하기: 글자 종류는 한글, 영어(알파벳), **한자** 이/가 있습니다.
글자 종류에 따라 **3** 가지로 분류할 수 있습니다.

답 **3가지**

2 영미네 모둠 친구들이 좋아하는 동물을 조사하였습니다. 동물들의 다리 수에 따라 분류하려고 할 때 몇 가지로 분류할 수 있는지 구해 보세요.

해결하기: **예** 다리의 수가 금붕어와 뱀은 0개, 공작새와 참새는 2개, 강아지와 사자는 4개입니다. 따라서 다리 수에 따라 3가지로 분류할 수 있습니다.

답 **3가지**

3 가은이네 반 학생들이 좋아하는 채소를 조사하였습니다. 가장 많은 학생들이 좋아하는 채소는 무엇인지 구해 보세요.

해결하기: ① 채소를 종류에 따라 분류하여 그 수를 세어 봅니다.

종류	토마토	오이	당근	고추
채소 수(개)	4	3	5	2

② 수의 크기를 비교하면 **5** > **4** > **3** > **2** 이므로 가장 많은 학생들이 좋아하는 채소는 **당근** 입니다.

답 **당근**

4 정우네 모둠 학생들이 현장 체험 학습으로 가고 싶어 하는 장소를 조사하였습니다. 가장 많은 학생들이 가고 싶어 하는 장소는 어느 곳인지 구해 보세요.

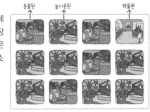

해결하기: **예** 현장 체험 학습으로 가고 싶어 하는 장소에 따라 분류하여 그 수를 세어 보면 동물원은 4명, 놀이공원은 7명, 박물관은 1명입니다. 따라서 7>4>1이므로 가장 많은 학생들이 가고 싶어 하는 장소는 놀이공원입니다.

답 **놀이공원**

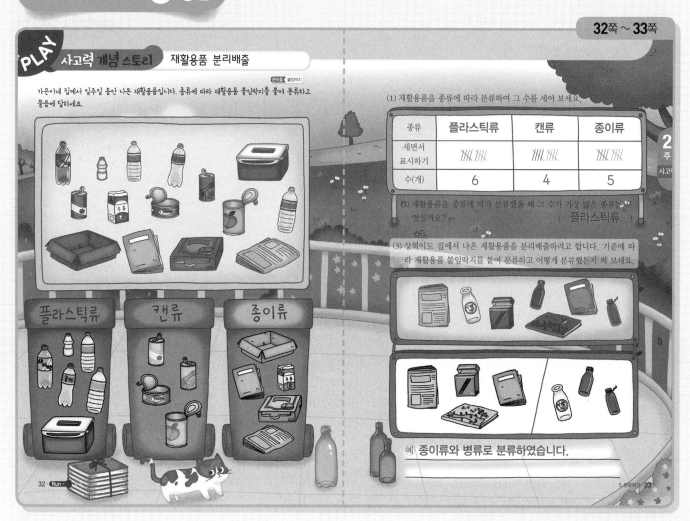

① _{단계} 교과 사고력 잡기

1 정아와 민지는 카드 뒤집기 놀이를 하였습니다. 정아는 빨간색, 민지는 파란색이 보이게 카드를 뒤집었습니다. 누가 뒤집은 카드의 색깔이 더 많은지 구해 보세요.

정아   민지

❶ 카드를 색깔에 따라 분류하여 그 수를 세어 보세요.

색깔	빨간색	파란색
수(장)	31	29

❷ 누가 뒤집은 카드의 색깔이 더 많을까요?

(**정아**)

✧ 빨간색 카드는 31장, 파란색 카드는 29장입니다.
31＞29이므로 정아가 뒤집은 카드인 빨간색이 더 많습니다.

---

2 명철이는 가족들과 뷔페에 갔습니다. 명철이가 접시에 담아 올 음식은 모두 몇 가지인지 구해 보세요.

접시에 고기와 샐러드를 가득 담아 와야지.
명철

① 도넛	② 갈비	③ 감	④ 식빵	⑤ 치킨
⑥ 망고 샐러드	⑦ 폭립	⑧ 포도	⑨ 케이크	⑩ 귤
⑪ 사과	⑫ 크로와상	⑬ 토마토 샐러드	⑭ 바나나	⑮ 치즈 샐러드

❶ 뷔페 음식을 분류하는 기준은 무엇일까요?

(**음식의 종류**)

❷ 뷔페 음식을 ❶에서 정한 기준에 따라 분류하여 그 수를 세어 보세요.

종류	빵	고기	과일	샐러드
수(가지)	4	3	5	3

❸ 명철이가 접시에 담아 온 음식은 모두 몇 가지일까요?

(**6가지**)

✧ 고기: ②, ⑤, ⑦의 3가지, 샐러드: ⑥, ⑬, ⑮의 3가지
➡ 3＋3＝6(가지)

---

① _{단계} 교과 사고력 잡기

3 진주는 어머니와 함께 마트에 왔습니다. 진주가 사야 할 물건은 사과, 치마, 우유, 색연필입니다. 물건을 가능한 한 짧은 거리로 이동하여 살 수 있는 방법을 설명해 보세요.

사야 할 물건

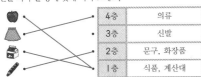

층별 안내도

층	코너
4층	의류
3층	신발
2층	문구, 화장품
1층	식품, 계산대

❶ 물건을 사야 할 층에 맞게 이어 보세요.

4층	의류
3층	신발
2층	문구, 화장품
1층	식품, 계산대

❷ 물건을 구입할 순서를 쓰고, 그렇게 생각한 이유를 써 보세요.

_{순서} _예 4층, 2층, 1층의 순서로 움직여서 물건을 삽니다.

_{이유} _예 계산대가 1층에 있으므로 가장 위층의 물건부터 사야 짐도 적어지고 짧은 거리로 이동할 수 있기 때문입니다.

---

4 동혁이네 아파트에 도둑이 들었습니다. 도둑은 공원으로 몰래 숨었다고 합니다. 도둑을 본 주민들의 말을 듣고 도둑을 잡아 보세요.

❶ 경비 아저씨의 말씀을 듣고 해당하는 사람을 모두 찾아 기호를 써 보세요.

내가 봤어. 도둑은 남자야!
경비 아저씨

✧ 도둑은 남자이므로 그림에 있는 사람들 중 남자의 기호 (ⓛ, ⓒ, ⓗ, ⓞ, ⓩ)를 모두 씁니다.

❷ ❶의 결과 중 할머니의 말씀을 듣고 해당하는 사람을 모두 찾아 기호를 써 보세요.

내가 확실히 보았어. 도둑은 모자를 썼어!
할머니

(ⓒ, ⓞ, ⓩ)

✧ 남자들 중 모자를 쓴 사람의 기호를 모두 씁니다.

❸ ❷의 결과 중 동혁이의 말을 듣고 도둑을 찾아 기호를 써 보세요.

도둑은 안경을 썼어요!
동혁

(ⓞ)

✧ 경비 아저씨와 할머니의 말씀을 듣고 찾은 모자를 쓴 남자들 중 동혁이가 말한 안경을 쓴 사람을 찾으면 ⓞ입니다.

2 단계 교과 사고력 확장

1 개구리가 집에 가기 위해 밟아야 하는 모양을 모두 찾아 빗금을 쳐 보세요.

1단계	⇒	2단계
연잎이 있는 곳까지는 변이 3개인 모양만 밟고 가야 합니다.		연잎이 있는 곳에서 집까지는 굴릴 수도 있고 잘 쌓을 수도 있는 모양만 밟고 가야 합니다.

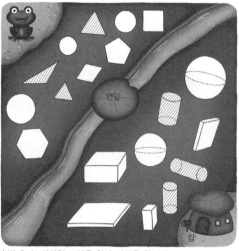

1단계 ➡ 삼각형 모양을 찾아 빗금을 칩니다.

2단계 ➡ ⬭ 모양을 찾아 빗금을 칩니다.

40 · Run - 2-1

2 다음은 동화책에 나오는 장면이 그려진 그림 카드입니다. 동화 제목을 찾아 쓰고 동화 제목에 따라 카드를 분류하여 카드 붙임딱지를 붙여 보세요.

동화 제목

〈신데렐라〉, 〈아기 돼지 삼형제〉, 〈금도끼 은도끼〉

동화 제목	카드
신데렐라	
아기 돼지 삼형제	
금도끼 은도끼	

5. 분류하기 · 41

2 단계 교과 사고력 확장

3 가로줄과 세로줄에 놓이는 단추의 모양과 구멍의 수는 서로 다릅니다. 빈칸에 알맞은 단추 붙임딱지를 붙여 보세요.

❶
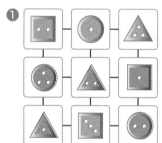

3개의 단추가 모양도 다르고 구멍의 수도 달라야 해요.

❷
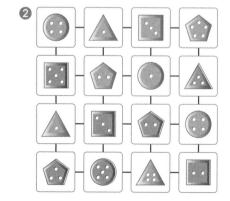

42 · Run - 2-1

4 어머니는 집안에 있는 물건들을 정리하려고 합니다. 물음에 답하세요.

운동화　치마　장갑　티셔츠　청바지　양말
후드 티　슬리퍼　모자　구두　장화

❶ 분류 기준이 될 수 있는 것에 ○표 하세요.

비싼 것과 비싸지 않은 것	짝이 있는 것과 짝이 없는 것

❷ 물건들을 ❶의 분류 기준에 따라 분류하여 그 수를 세어 보세요.

기준	짝이 있는 것	짝이 없는 것
물건 수(가지)	6	5

✤ 짝이 있는 것: 운동화, 장갑, 양말, 슬리퍼, 구두, 장화 ➡ 6가지
짝이 없는 것: 치마, 티셔츠, 청바지, 후드 티, 모자 ➡ 5가지

❸ 정리해야 할 물건이 더 많은 것은 무엇일까요?

(짝이 있는 것)

5. 분류하기 · 43

3 단계 교과 사고력 완성

평가 영역 □개념 이해력 □개념 응용력 □창의력 ☑문제 해결력

1 지우네 반 학생 25명의 장래 희망을 조사하였습니다. 분류하여 그 수를 다음과 같이 세었을 때 가장 많은 학생들이 희망하는 장래 희망은 무엇인지 구해 보세요.

장래 희망	연예인	선생님	의사	유튜버
학생 수(명)	6	4	7	

❶ 유튜버가 되고 싶은 학생은 몇 명일까요?

(**8명**)

❖ 6+4+7=17(명) ➡ 25-17=8(명)

❷ 가장 많은 학생들이 희망하는 장래 희망은 무엇일까요?

(**유튜버**)

❖ 8>7>6>4이므로 가장 많은 학생들이 희망하는 장래 희망은 유튜버입니다.

평가 영역 □개념 이해력 □개념 응용력 □창의력 ☑문제 해결력

2 문구점에서 오늘 하루 동안 팔린 색연필 30자루의 색깔을 조사하였습니다. 분류하여 그 수를 다음과 같이 세었을 때 내일은 어떤 색깔의 색연필을 더 많이 준비하면 좋을지 구해 보세요.

색깔	빨간색	파란색	노란색	주황색
색연필 수(자루)	8		10	5

❖ 8+10+5=23(자루) ➡ (파란색 색연필 수)=30-23=7(자루)

❶ 가장 많이 팔린 색연필의 색깔은 무엇일까요?

10>8>7>5이므로 노란색 색연필이 (**노란색**)

가장 많이 팔렸습니다.

❷ 내일은 어떤 색깔의 색연필을 더 많이 준비하면 좋을까요?

(**노란색**)

❖ 내일은 가장 많이 팔린 노란색 색연필을 더 많이 준비하면 좋겠습니다.

44 · Run - 2-1

평가 영역 □개념 이해력 □개념 응용력 ☑창의력 □문제 해결력

3 가은이는 가지고 있는 구슬을 색깔에 따라 분류하였습니다. 분류하여 그 수를 다음과 같이 세었을 때 구슬의 수가 색깔별로 같아지려면 어떤 색깔의 구슬을 더 모아야 하는지 구해 보세요.

색깔	노란색	빨간색	파란색	초록색
구슬 수(개)	10	7	10	9

❶ 구슬의 수가 같은 것은 어떤 색깔과 어떤 색깔의 구슬일까요?

노란색 구슬과 **파란색** 구슬

❷ 구슬의 수가 색깔별로 같아지려면 어떤 색깔과 어떤 색깔의 구슬을 더 모아야 할까요?

빨간색 구슬과 **초록색** 구슬

평가 영역 □개념 이해력 □개념 응용력 ☑창의력 □문제 해결력

4 윤아네 반 학급 문고에 있는 책을 종류에 따라 분류하였습니다. 분류하여 그 수를 다음과 같이 세었을 때 책의 수가 종류별로 같아지려면 어떤 종류의 책을 몇 권 더 구입해야 하는지 모두 구해 보세요.

종류	동화책	위인전	과학책	역사책
책 수(권)	13	15	10	15

동화책 , **2** 권

과학책 , **5** 권

책 수가 종류별로 같아지려면 책 수가 적은 것을 구입하면 됩니다.

❖ 위인전과 역사책 수가 같습니다. 따라서 책의 수가 종류별로 모두 같아지려면 동화책과 과학책을 더 구입해야 합니다.

➡ 동화책: 15-13=2(권),
과학책: 15-10=5(권)

5. 분류하기 · 45

Test 종합평가   5. 분류하기

맞은 개수

1 이동 수단의 분류 기준으로 알맞은 것에 ○표 하세요.

색깔	바퀴 수	크기	무게
	○		

[2~4] 보미네 집에 있는 물건을 모았습니다. 물음에 답하세요.

2 모양인 물건은 모두 몇 개일까요?

(**5개**)

❖ 모양은 전자레인지, 금고, 주사위, 필통, 사전입니다. ➡ 5개

3 모양인 물건은 모두 몇 개일까요?

(**3개**)

❖ 모양은 휴지통, 음료수 캔, 참치 캔입니다. ➡ 3개

4 모양인 물건은 모두 몇 개일까요?

(**4개**)

❖ 모양은 농구공, 테니스공, 배구공, 지구본입니다. ➡ 4개

46 · Run - 2-1

5 다음은 채민이가 분류한 것입니다. 잘못 분류된 것을 찾아 ×표 하세요.

❖ 구멍의 수에 따라 분류한 것입니다. 는 가장 왼쪽으로 옮겨야 합니다.

[6~8] 지후의 저금통에 들어 있는 돈을 정리하려고 합니다. 물음에 답하세요.

6 돈을 같은 금액에 따라 분류하여 그 수를 세어 보세요.

금액	100	500	1000	5000
수(개)	3	6	4	3

7 돈을 종류에 따라 분류하여 그 수를 세어 보세요.

종류	동전	지폐
수(개)	9	7

❖ 동전: 100원, 500원 ➡ 3+6=9(개)
지폐: 1000원, 5000원 ➡ 4+3=7(장)

8 동전과 지폐 중 어느 것이 더 많을까요?

(**동전**)

❖ 9>7이므로 동전이 지폐보다 더 많습니다.

5. 분류하기 · 47

est 종합평가 5. 분류하기

정답과 풀이 p.12

[9~10] 정아네 반 학생들이 가 보고 싶어 하는 나라를 조사한 것입니다. 물음에 답하세요.

미국	중국	미국	일본	미국	중국	프랑스
프랑스	미국	프랑스	중국	중국	미국	미국
미국	중국	프랑스	미국	미국	중국	중국

9 가 보고 싶어 하는 나라에 따라 분류하여 그 수를 세어 보세요.

나라	미국	중국	일본	프랑스
학생 수(명)	9	7	1	4

❖ 나라별로 빠뜨리거나 중복되지 않게 세어 봅니다.

10 가장 많은 학생들이 가 보고 싶어 하는 나라는 어느 나라일까요?

(미국)

❖ 9>7>4>1이므로 가장 많은 학생들이 가 보고 싶어 하는 나라는 미국입니다.

11 분리배출을 하였습니다. 잘못 분류되어 있는 재활용품의 종류를 찾고, 그 이유를 써 보세요.

플라스틱류	캔류	병류

(병류)

이유 예 음료수 캔은 캔 종류이므로 캔류에 분류하여야 합니다.

[12~14] 5월의 날씨를 달력에 표시한 것입니다. 물음에 답하세요.

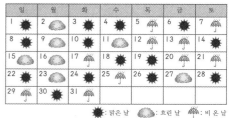

☀: 맑은 날   ☁: 흐린 날   ☂: 비 온 날

12 날씨의 종류는 모두 몇 가지일까요?

(3가지)

❖ ☀, ☁, ☂로 모두 3가지입니다.

13 날씨에 따라 분류하고 그 수를 세어 보세요.

날씨	맑은 날	흐린 날	비 온 날
날짜	1, 3, 4, 6, 8, 10, 14, 18, 19, 22, 24, 26, 28, 30	2, 9, 11, 15, 16, 23, 27	5, 7, 12, 13, 17, 20, 21, 25, 29, 31
날수(일)	14	7	10

❖ 날씨별로 빠뜨리거나 중복되지 않게 세어 봅니다.

14 가장 많은 날은 어떤 날씨이고 며칠일까요?

(맑은 날), (14일)

❖ 맑은 날: 14일, 흐린 날: 7일, 비 온 날: 10일이므로 맑은 날이 14일로 가장 많습니다.

est 종합평가 5. 분류하기

정답과 풀이 p.12

15 민재네 학원 학생들이 좋아하는 계절을 조사하였습니다. 분류하여 그 수를 다음과 같이 세었을 때 가장 많은 학생들이 좋아하는 계절과 가장 적은 학생들이 좋아하는 계절의 학생 수의 차는 몇 명인지 구해 보세요.

계절	봄	여름	가을	겨울
학생 수(명)	9	13	11	10

(4명)

❖ 가장 많은 학생들이 좋아하는 계절: 여름, 13명
가장 적은 학생들이 좋아하는 계절: 봄, 9명
따라서 13-9=4(명)입니다.

16 지수네 반 학생 22명이 좋아하는 운동을 조사하였습니다. 분류하여 그 수를 다음과 같이 세었을 때 피구를 좋아하는 학생은 몇 명인지 구해 보세요.

운동	농구	피구	축구	야구
학생 수(명)	7		6	4

(5명)

❖ 농구, 축구, 야구를 좋아하는 학생은 모두
7+6+4=17(명)입니다.
따라서 피구를 좋아하는 학생은 22-17=5(명)입니다.

17 ㉠, ㉡, ㉢에 알맞은 이동 수단을 각각 2개씩 써 보세요.

움직이는 장소	땅	물	하늘
이동 수단	㉠	㉡	㉢

㉠ (예 자동차, 버스)

㉡ (예 배, 보트)

㉢ (예 비행기, 헬리콥터)

특강 창의·융합 사고력

정답과 풀이 p.12

[❶~❸] 도형을 분류하려고 합니다. 물음에 답하세요.

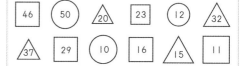

❶ 도형을 분류하는 기준이 될 수 없는 것에 ×표 하세요.

모양, 색깔, 써 있는 수의 자릿수, 꼭짓점의 수, 변의 수

❖ 도형 안에 써 있는 수는 모두 두 자리수이므로 자릿수가 모두 같습니다.

❷ 도형을 모양에 따라 분류하고 그 수를 세어 보세요.

모양	사각형	원	삼각형
써 있는 수	46, 23, 29, 16, 11	50, 12, 10	20, 32, 37, 15
도형 수(개)	5	3	4

❸ 빨간색이면서 변이 4개인 도형에 적힌 수들의 합을 구해 보세요.

(62)

❖ 46+16=62

6 곱셈

생활 속 곱셈 이야기

밭에 심은 배추, 상추, 무, 당근을 수확하기 위해 필요한 바구니 수를 구하려고 합니다. 각 농작물은 서로 다른 바구니에 담아야 하고 바구니 한 개에 배추 또는 상추는 4포기씩 담고, 무 또는 당근은 4개씩 담으려고 합니다. 농작물을 수확하는 데 바구니는 모두 몇 개 필요한지 알아볼까요?

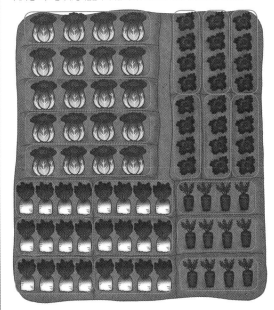

☘ 각 농작물의 수를 하나씩 세어 보세요.

🥬 20 포기   🥬 24 포기

🥔 24 개   🥕 12 개

☘ 각 농작물의 수를 4씩 묶어서 세어 보세요.

 : 4씩 5 묶음이므로 20 포기입니다.

: 4씩 6 묶음이므로 24 포기입니다.

: 4씩 6 묶음이므로 24 개입니다.

: 4씩 3 묶음이므로 12 개입니다.

☘ 각 농작물을 담는 데 필요한 바구니 수를 각각 구해 보세요.

🥬 (5개)   🥬 (6개)

🥔 (6개)   🥕 (3개)

☘ 농작물을 수확하는 데 바구니는 모두 몇 개 필요할까요?

❖ 5+6+6+3=20(개)   (20개)

1 단계 교과서 개념 잡기

개념 확인 문제

🔖 정답과 풀이 p.13

개념 1 여러 가지 방법으로 세기

• 사과는 모두 몇 개인지 여러 가지 방법으로 세어 보기

방법 1 하나씩 세기
1, 2, 3, 4, 5, 6, 7, 8, 9, 10, 11, 12, 13, 14로 사과는 모두 14개입니다.

방법 2 뛰어 세기
2씩 뛰어서 세면 2, 4, 6, 8, 10, 12, 14로 사과는 모두 14개입니다.

방법 3 묶어 세기
① 2개씩 묶어 세기

➡ 2개씩 묶으면 7묶음이므로 사과는 모두 14개입니다.

② 3개씩 묶어 세기

➡ 3개씩 4묶음에 낱개 2를 더해서 셀 수 있습니다.

참고 하나씩 세거나 뛰어 세는 방법보다 묶어 세는 방법이 시간이 적게 걸리고 쉬워서 편리합니다.

1-1 도넛은 모두 몇 개인지 하나씩 세려고 합니다. □ 안에 알맞은 수를 써넣으세요.

1, 2, 3, 4, 5, 6, 7 이므로 모두 7 개입니다.

1-2 귤은 모두 몇 개인지 4씩 뛰어서 세어 보세요.

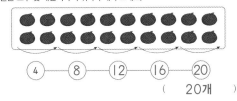

④－⑧－⑫－⑯－⑳

(20개)

1-3 딸기는 모두 몇 개인지 묶어서 세려고 합니다. 물음에 답하세요.

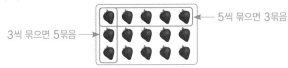

3씩 묶으면 5묶음   5씩 묶으면 3묶음

(1) 딸기는 모두 몇 개일까요?

(15개)

(2) 딸기의 수를 몇씩 몇 묶음으로 세었는지 □ 안에 알맞은 수를 써넣으세요.

3 씩 5 묶음, 5 씩 3 묶음

3주 교과

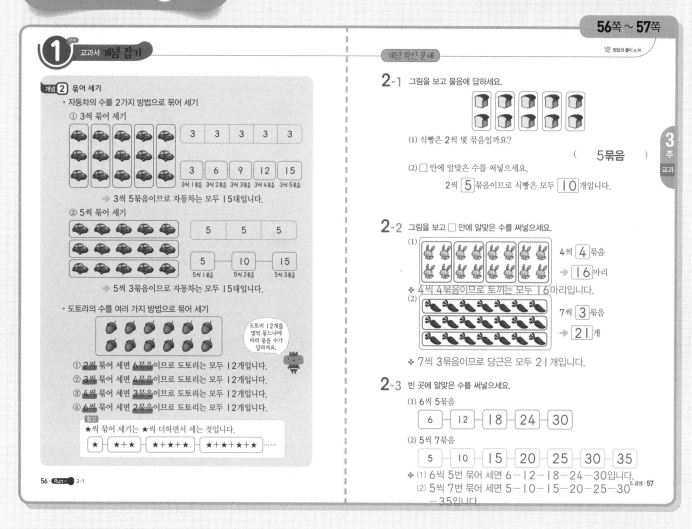

1단계 교과서 개념 잡기

개념 2 묶어 세기

· 자동차의 수를 2가지 방법으로 묶어 세기

① 3씩 묶어 세기

| 3 | 3 | 3 | 3 | 3 |

| 3 | 6 | 9 | 12 | 15 |
3씩 1묶음 3씩 2묶음 3씩 3묶음 3씩 4묶음 3씩 5묶음

➡ 3씩 5묶음이므로 자동차는 모두 15대입니다.

② 5씩 묶어 세기

| 5 | 5 | 5 |

| 5 | 10 | 15 |
5씩 1묶음 5씩 2묶음 5씩 3묶음

➡ 5씩 3묶음이므로 자동차는 모두 15대입니다.

· 도토리의 수를 여러 가지 방법으로 묶어 세기

도토리 12개를 몇씩 묶느냐에 따라 묶음 수가 달라져요.

① 2씩 묶어 세면 6묶음이므로 도토리는 모두 12개입니다.
② 3씩 묶어 세면 4묶음이므로 도토리는 모두 12개입니다.
③ 4씩 묶어 세면 3묶음이므로 도토리는 모두 12개입니다.
④ 6씩 묶어 세면 2묶음이므로 도토리는 모두 12개입니다.

참고
★씩 묶어 세기는 ★씩 더하면서 세는 것입니다.
| ★ | ★+★ | ★+★+★ | ★+★+★+★ | ......

56 · Run- 2-1

개념 확인 문제

정답과 풀이 p.14

2-1 그림을 보고 물음에 답하세요.

(1) 식빵은 2씩 몇 묶음일까요?
(5묶음)

(2) □ 안에 알맞은 수를 써넣으세요.
2씩 5묶음이므로 식빵은 모두 10개입니다.

2-2 그림을 보고 □ 안에 알맞은 수를 써넣으세요.

(1)
4씩 4묶음
➡ 16마리
❖ 4씩 4묶음이므로 토끼는 모두 16마리입니다.

(2)
7씩 3묶음
➡ 21개
❖ 7씩 3묶음이므로 당근은 모두 21개입니다.

2-3 빈 곳에 알맞은 수를 써넣으세요.

(1) 6씩 5묶음
| 6 | 12 | 18 | 24 | 30 |

(2) 5씩 7묶음
| 5 | 10 | 15 | 20 | 25 | 30 | 35 |

❖ (1) 6씩 5번 묶어 세면 6-12-18-24-30입니다.
(2) 5씩 7번 묶어 세면 5-10-15-20-25-30 -35입니다.

6. 곱셈 · 57

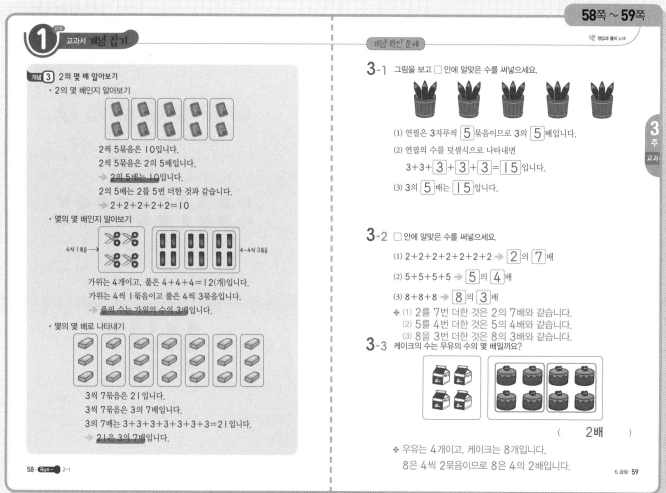

1단계 교과서 개념 잡기

개념 3 2의 몇 배 알아보기

· 2의 몇 배인지 알아보기

2씩 5묶음은 10입니다.
2씩 5묶음은 2의 5배입니다.
➡ 2의 5배는 10입니다.
2의 5배는 2를 5번 더한 것과 같습니다.
2+2+2+2+2=10

· 몇의 몇 배인지 알아보기

4씩 1묶음➡ ➡4씩 3묶음

가위는 4개이고, 풀은 4+4+4=12(개)입니다.
가위는 4씩 1묶음이고 풀은 4씩 3묶음입니다.
➡ 풀의 수는 가위의 수의 3배입니다.

· 몇의 몇 배로 나타내기

3씩 7묶음은 21입니다.
3씩 7묶음은 3의 7배입니다.
3의 7배는 3+3+3+3+3+3+3=21입니다.
➡ 21은 3의 7배입니다.

58 · Run- 2-1

개념 확인 문제

정답과 풀이 p.14

3-1 그림을 보고 □ 안에 알맞은 수를 써넣으세요.

(1) 연필은 3자루씩 5묶음이므로 3의 5배입니다.

(2) 연필의 수를 덧셈식으로 나타내면
3+3+3+3+3=15입니다.

(3) 3의 5배는 15입니다.

3-2 □ 안에 알맞은 수를 써넣으세요.

(1) 2+2+2+2+2+2+2 ➡ 2의 7배

(2) 5+5+5+5 ➡ 5의 4배

(3) 8+8+8 ➡ 8의 3배

❖ (1) 2를 7번 더한 것은 2의 7배와 같습니다.
(2) 5를 4번 더한 것은 5의 4배와 같습니다.
(3) 8을 3번 더한 것은 8의 3배와 같습니다.

3-3 케이크의 수는 우유의 수의 몇 배일까요?

(2배)

❖ 우유는 4개이고, 케이크는 8개입니다.
8은 4씩 2묶음이므로 8은 4의 2배입니다.

6. 곱셈 · 59

① 교과서 개념 잡기

개념 확인 문제

정답과 풀이 p.15

개념 ④ 곱셈식 알아보기

· 곱셈 알아보기

딸기가 6개씩 5묶음 있으므로 딸기의 수는 6의 5배입니다.

· 6의 5배를 6×5라고 씁니다.
· 6×5는 6 곱하기 5라고 읽습니다.

· 곱셈식 알아보기

귤이 7개씩 4묶음 있으므로 귤의 수는 7의 4배입니다.

덧셈식 7+7+7+7=28 ➡ 귤은 모두 28개입니다.
곱셈식 7×4=28

· 7+7+7+7은 7×4와 같습니다.
· 7×4=28은 7 곱하기 4는 28과 같습니다라고 읽습니다.
· 7과 4의 곱은 28입니다.

개념 ⑤ 여러 가지 곱셈식으로 나타내기

① 2씩 8묶음 ➡ 2의 8배 ➡ 2×8=16
② 4씩 4묶음 ➡ 4의 4배 ➡ 4×4=16
③ 8씩 2묶음 ➡ 8의 2배 ➡ 8×2=16

60 · Run- 2-1

4-1 멜론의 수를 덧셈식과 곱셈식으로 나타내어 보세요.

덧셈식 2+2+2+2=8 곱셈식 2×4=8

4-2 배가 한 상자에 5개씩 들어 있습니다. 3상자에 들어 있는 배는 모두 몇 개인지 구하려고 합니다. 물음에 답하세요.

(1) 배의 수를 덧셈식으로 나타내어 보세요.

덧셈식 5+5+5=15

(2) 배의 수를 곱셈식으로 나타내어 보세요.

곱셈식 5×3=15

(3) 배는 모두 몇 개일까요?

(15개)

✤ (1) 5씩 3묶음을 덧셈식으로 나타내면 5+5+5=15입니다.
(2) 5씩 3묶음은 5의 3배이므로 곱셈식으로 나타내면
5×3=15입니다.

5 □ 안에 알맞은 수를 써넣으세요.

(1) 4씩 5묶음 덧셈식 4+4+4+4+4=20
곱셈식 4×5=20

(2) 9씩 4묶음 덧셈식 9+9+9+9=36
곱셈식 9×4=36

6. 곱셈 · 61

PLAY 교과서 개념 스토리 **덧셈식과 곱셈식으로 나타내기**

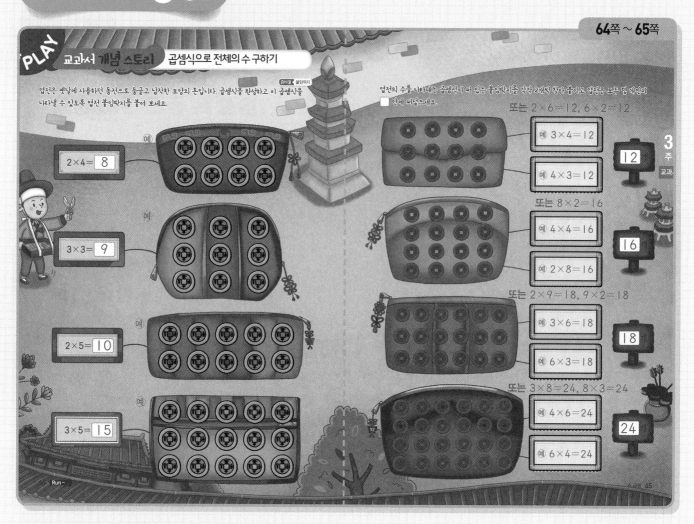

PLAY 교과서 **개념 스토리** 곱셈식으로 전체의 수 구하기

엽전은 옛날에 사용하던 동전으로 둥글고 납작한 모양의 돈입니다. 곱셈식을 완성하고 이 곱셈식을 나타낼 수 있도록 엽전 붙임딱지를 붙여 보세요.

(예) $2 \times 4 = 8$

(예) $3 \times 3 = 9$

(예) $2 \times 5 = 10$

(예) $3 \times 5 = 15$

엽전의 수를 나타내는 곱셈식이 써 있는 붙임딱지를 각각 2개씩 찾아 붙이고 엽전은 모두 몇 개인지 □ 안에 써넣으세요.

또는 $2 \times 6 = 12$, $6 \times 2 = 12$

(예) $3 \times 4 = 12$

(예) $4 \times 3 = 12$

| 12 |

또는 $8 \times 2 = 16$

(예) $4 \times 4 = 16$

(예) $2 \times 8 = 16$

| 16 |

또는 $2 \times 9 = 18$, $9 \times 2 = 18$

(예) $3 \times 6 = 18$

(예) $6 \times 3 = 18$

| 18 |

또는 $3 \times 8 = 24$, $8 \times 3 = 24$

(예) $4 \times 6 = 24$

(예) $6 \times 4 = 24$

| 24 |

3주 교과

---

2 단계 교과서 **개념 다지기**

정답과 풀이 p.16

개념1 여러 가지 방법으로 세기

01 수박은 모두 몇 통인지 하나씩 세어 보세요.

| 1 | 2 | 3 | 4 | 5 | 6 | 7 | 8 | 9 |

(**9통**)

✤ 하나씩 세면 1, 2, 3, 4, 5, 6, 7, 8, 9이므로 수박은 모두 9통입니다.

02 금붕어는 모두 몇 마리인지 2씩 뛰어서 세어 보세요.

(2)–(4)–(6)–(8)–(10)–(12)

(**12마리**)

✤ 2씩 뛰어서 세면 2, 4, 6, 8, 10, 12이므로 금붕어는 모두 12마리입니다.

03 초콜릿은 모두 몇 개인지 3씩 묶어서 세어 보세요.

3 씩 7 묶음이므로 초콜릿은 모두 21 개입니다.

✤ 3개씩 묶어서 세면 7묶음이므로 초콜릿은 모두 21개입니다.

개념2 여러 가지 방법으로 센 방법 설명하기

04 야구공은 모두 몇 개인지 친구들이 세어 보고 센 방법을 말한 것입니다. 바르게 말한 친구의 이름을 모두 써 보세요.

은지: 야구공을 '1, 2, 3······'으로 하나씩 세면 모두 20개야.

세형: 야구공을 6씩 뛰어서 세면 6, 12, 18, 24로 모두 24개야.

다영: 야구공을 5씩 묶어서 세면 4묶음이야.

(**은지, 다영**)

✤ 야구공을 세어 보면 모두 20개이므로 24개라고 말한 세형이가 잘못 말하였고, 은지와 다영이는 바르게 말하였습니다.

05 그림을 보고 물음에 답하세요.

(1) 당근은 모두 몇 개일까요?

(18개)

(2) 위 (1)에서 어떤 방법으로 세었는지 설명해 보세요.

방법1 예 3씩 6번 뛰어서 세었습니다.

방법2 예 9씩 2묶음으로 묶어서 세었습니다.

✤ 하나씩 세기, 뛰어 세기, 묶어 세기 등 여러 가지 방법으로 당근을 셀 수 있습니다.

정답과 풀이 p.17

교과서 개념 다지기

개념 3 묶어 세기

06 그림을 보고 물음에 답하세요.

(1) 아이스크림은 4씩 몇 묶음일까요? (**4묶음**)

(2) 아이스크림은 모두 몇 개일까요? (**16개**)

❖ 4씩 4묶음이므로 아이스크림은 모두 16개입니다.

07 관계있는 것끼리 선으로 이어 보세요.

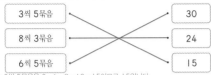

- 3씩 5묶음은 3-6-9-12-15이므로 15입니다.
- 8씩 3묶음은 8-16-24이므로 24입니다.
- 6씩 5묶음은 6-12-18-24-300므로 30입니다.

08 ★ 모양은 모두 몇 개인지 두 가지 방법으로 묶어 세어 보세요.

(1) 2씩 묶고 모두 몇 묶음인지 구해 보세요.

 ➡ (**6묶음**)

(2) 4씩 묶고 모두 몇 묶음인지 구해 보세요.

 ➡ (**3묶음**)

(3) ★ 모양은 모두 몇 개일까요?

❖ 2씩 6묶음, 4씩 3묶음이므로 (**12개**)

68 · Run- 2-1 ★ 모양은 모두 12개입니다.

개념 4 몇의 몇 배 알아보기

09 그림을 보고 □ 안에 알맞은 수를 써넣으세요.

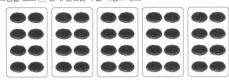

(1) 8씩 5묶음은 8의 **5** 배입니다.

(2) 8+**8**+**8**+**8**+**8**=**40** 입니다.

(3) 8의 **5** 배는 **40** 입니다.

10 27은 9의 몇 배인지 구하려고 합니다. □ 안에 알맞은 수를 써넣으세요.

➡ 27은 9의 **3** 배입니다.

❖ 9씩 3번 뛰어서 세면 27입니다. ➡ 27은 9의 3배입니다.

11 영진이의 나이는 8살입니다. 고모의 나이는 영진이의 나이의 4배입니다. 고모의 나이는 몇 살일까요?

(**32살**)

❖ 8의 4배는 8+8+8+8=32입니다.
따라서 고모의 나이는 32살입니다.

6. 곱셈 · 69

교과서 개념 다지기

정답과 풀이 p.17

개념 5 곱셈식 알아보기

12 그림을 보고 빈칸에 알맞은 곱셈식을 써넣으세요.

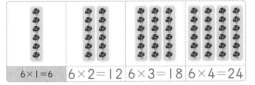

| 6×1=6 | 6×2=12 | 6×3=18 | 6×4=24 |

❖ 6씩 1묶음 ➡ 6×1=6, 6씩 2묶음 ➡ 6×2=12,
6씩 3묶음 ➡ 6×3=18. 6씩 4묶음 ➡ 6×4=24

13 풍선의 수를 덧셈식과 곱셈식으로 나타내어 보세요.

덧셈식 **8**+**8**+**8**=**24**

곱셈식 **8**×**3**=**24**

❖ 풍선의 수는 8씩 3묶음이므로 8의 3배입니다.
➡ 8+8+8=24 ➡ 8×3=24

14 잠자리 한 마리의 날개는 4장입니다. 잠자리 7마리의 날개는 모두 몇 장인지 구해 보세요.

4×**7**=**28** ➡ **28**장

70 · Run- 2-1 ❖ 잠자리 7마리의 날개는 4장씩 7묶음이므로
모두 4×7=28(장)입니다.

개념 6 곱셈식으로 나타내기

15 주머니 한 개에 사탕이 3개씩 들어 있습니다. 사탕은 모두 몇 개인지 알아보려고 합니다. 물음에 답하세요.

(1) 사탕의 수는 3의 몇 배일까요?

(**7배**)

(2) 사탕의 수를 덧셈식으로 나타내어 보세요.

덧셈식 3+3+3+3+3+3+3=21

(3) 사탕의 수를 곱셈식으로 나타내어 보세요.

곱셈식 3×7=21

(4) 사탕은 모두 몇 개일까요?

(**21개**)

❖ (2) 3씩 7묶음을 덧셈식으로 나타내면
3+3+3+3+3+3+3=21입니다.

(3) 3씩 7묶음은 3의 7배이므로 곱셈식으로 나타내면
3×7=21입니다.

16 단추 구멍의 수를 곱셈식으로 바르게 나타낸 것을 찾아 이어 보세요.

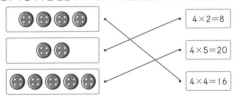

❖ 4의 4배 ➡ 4×4=16, 4의 2배 ➡ 4×2=8,
4의 5배 ➡ 4×5=20

6. 곱셈 · 71

③ ⁿ 교과서 **실력 다지기**

★ 곱의 크기 비교하기

1 나타내는 수가 가장 큰 것을 찾아 기호를 써 보세요.

> ㉠ 6+6+6+6+6　　㉡ 7 곱하기 5
> ㉢ 3×9　　㉣ 8씩 4묶음

답 (㉡)

> 개념 ① ㉠, ㉡, ㉢, ㉣이 나타내는 수를 곱셈식을 이용하여 각각 구합니다.
> 피드백 ② ①에서 구한 곱의 크기를 비교하여 가장 큰 곱을 찾습니다.

❖ ㉠ 6×5=30　㉡ 7×5=35　㉢ 3×9=27　㉣ 8×4=32
따라서 35>32>30>27이므로 나타내는 수가 가장 큰 것은 ㉡입니다.

1-1 나타내는 수의 크기를 비교하여 ○ 안에 >, =, <를 알맞게 써넣으세요.

(1) | 4와 6의 곱 | < | 5+5+5+5+5 |

(2) | 9씩 5묶음 | > | 6 곱하기 7 |

❖ (1) 4와 6의 곱 ➡ 4×6=24
5+5+5+5+5 ➡ 5×5=25
(2) 9씩 5묶음 ➡ 9×5=45
6 곱하기 7 ➡ 6×7=42

1-2 연필을 가은이는 7자루씩 4묶음 가지고 있고, 영수는 5자루씩 6묶음 가지고 있습니다. 두 사람 중 연필을 더 많이 가지고 있는 사람은 누구일까요?

(영수)

❖ • 가은: 7자루씩 4묶음 ➡ 7×4=28(자루)
• 영수: 5자루씩 6묶음 ➡ 5×6=30(자루)
따라서 30>28이므로 연필을 더 많이 가지고 있는 사람은 영수입니다.

★ 여러 가지 곱셈식으로 나타내기

2 장미꽃은 모두 몇 송이인지 여러 가지 곱셈식으로 나타내어 보세요.

답 | 3 | × | 8 | = | 24 |, | 4 | × | 6 | = | 24 |
| 6 | × | 4 | = | 24 |, | 8 | × | 3 | = | 24 |

> 개념 ① 장미꽃을 몇 송이씩 똑같이 묶을 수 있는지 알아봅니다.
> 피드백 ② ①에서 찾은 수만큼 묶고 곱셈식으로 나타냅니다. ●송이씩 ▲묶음 ➡ ● × ▲

❖ • 3송이씩 묶으면 8묶음　• 4송이씩 묶으면 6묶음
• 6송이씩 묶으면 4묶음　• 8송이씩 묶으면 3묶음

2-1 계산 결과가 16인 것을 모두 찾아 기호를 써 보세요.

> ㉠ 4×4　　㉡ 2×9
> ㉢ 2×8　　㉣ 3×4

(㉠, ㉢)

❖ ㉠ 4×4=16　㉡ 2×9=18
㉢ 2×8=16　㉣ 3×4=12
따라서 계산 결과가 16인 것은 ㉠, ㉢입니다.

2-2 귤이 한 봉지에 6개씩 2봉지 있습니다. 이 귤을 한 봉지에 4개씩 다시 담으면 몇 봉지가 될까요?

(3봉지)

❖ 귤 6개씩 2봉지는 6×2=12(개)입니다.
따라서 4×3=12이므로 귤 12개를 한 봉지에 4개씩 다시 담으면 3봉지가 됩니다.

③ ⁿ 교과서 **실력 다지기**

★ 고르는 방법의 수 구하기

3 주호는 티셔츠와 바지를 하나씩 골라 입으려고 합니다. 모두 몇 가지 방법으로 입을 수 있는지 구해 보세요.

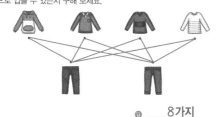

답 _____ 8가지

> 개념 ① 티셔츠와 바지를 선으로 모두 연결합니다.
> 피드백 ② 티셔츠와 바지를 입을 수 있는 방법은 모두 몇 가지인지 구합니다.

❖ 티셔츠가 4가지이고, 각각의 경우에 고를 수 있는 바지가 2가지씩이므로 고를 수 있는 방법은 모두 4×2=8(가지)입니다.

3-1 떡볶이집에서 파는 떡볶이와 음료수가 각각 다음과 같을 때 떡볶이와 음료수를 하나씩 고를 수 있는 방법은 모두 몇 가지일까요?

(12가지)

❖ 떡볶이가 4가지이고, 각각의 경우에 고를 수 있는 음료수가 3가지씩입니다. ➡ 4×3=12(가지)

3-2 ㉮에서 출발하여 ㉯를 거쳐 ㉰까지 길을 따라가는 방법은 모두 몇 가지일까요?
(단, 되돌아오는 것은 생각하지 않습니다.)

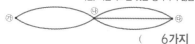

(6가지)

❖ ㉮에서 ㉯로 가는 길은 2가지이고, ㉯에서 ㉰로 가는 길은 3가지씩입니다.
따라서 ㉮ ➡ ㉯ ➡ ㉰로 길을 따라가는 방법은 모두 2×3=6(가지)입니다.

★ 곱셈식에서 □ 안의 수 구하기

4 □ 안에 알맞은 수가 가장 큰 것을 찾아 기호를 써 보세요.

> ㉠ 7×□=35　　㉡ 3×□=18
> ㉢ □×8=72　　㉣ □×6=42

답 ㉢

❖ ㉠ 7×5=35이므로 □=5입니다.
㉡ 3×6=18이므로 □=6입니다.

> 개념 ① □ 안에 알맞은 수를 각각 구합니다.
> 피드백 ② ①에서 구한 수의 크기를 비교하여 가장 큰 수를 찾습니다.

㉢ 9×8=72이므로 □=9입니다.
㉣ 7×6=42이므로 □=7입니다.

4-1 그림을 보고 □ 안에 알맞은 수를 써넣으세요.

4×| 9 |=| 36 |

❖ 4개씩 9묶음이므로 곱셈식으로 나타내면 4×9=36입니다.

4-2 □ 안에 알맞은 수를 써넣으세요.

(1) 5×| 8 |=40　　(2) | 3 |×7=21

(3) 8×| 7 |=56　　(4) | 9 |×9=81

❖ (1) 5×8=40이므로 □=8입니다.
(2) 3×7=21이므로 □=3입니다.
(3) 8×7=56이므로 □=7입니다.
(4) 9×9=81이므로 □=9입니다.

③ 교과서 **실력 다지기**

★ 곱셈하고 덧셈하기

5 과일 가게에 한 상자에 6개씩 들어 있는 사과가 7상자 있고, 복숭아는 사과보다 4개 더 많습니다. 복숭아는 모두 몇 개인지 구해 보세요.

답 **46개**

개념 피드백
① 사과의 수를 구합니다.
② 복숭아의 수를 구합니다.
❖ (사과의 수)=6×7=42(개)
➡ (복숭아의 수)=42+4=46(개)

5-1 문구점에서 한 묶음에 3권씩 들어 있는 공책 8묶음과 낱개 2권을 샀습니다. 산 공책은 모두 몇 권인지 구해 보세요.

(**26권**)

❖ 3권씩 8묶음은 3×8=24(권)입니다.
따라서 산 공책은 모두 24+2=26(권)입니다.

5-2 꽃병이 5개 있습니다. 꽃을 꽃병 한 개에 4송이씩 꽂았더니 3송이가 남았습니다. 꽃은 모두 몇 송이인지 구해 보세요.

(**23송이**)

❖ (꽃병 5개에 꽂은 꽃의 수)=4×5=20(송이)
➡ (전체 꽃의 수)=20+3=23(송이)

5-3 혜미의 나이는 8살이고 어머니의 나이는 혜미의 나이의 4배보다 5살 더 많습니다. 어머니의 나이는 몇 살인지 구해 보세요.

(**37살**)

❖ 8의 4배는 8×4=32입니다.
따라서 어머니의 나이는 32+5=37(살)입니다.

★ 곱셈하고 뺄셈하기

6 민지는 연필을 9자루씩 6묶음 가지고 있습니다. 그중에서 동생에게 11자루를 주었다면 남은 연필은 몇 자루인지 구해 보세요.

답 **43자루**

개념 피드백
① 처음에 가지고 있던 연필의 수를 구합니다.
② 동생에게 주고 남은 연필의 수를 구합니다.
❖ (처음에 가지고 있던 연필의 수)=9×6=54(자루)
➡ (동생에게 주고 남은 연필의 수)=54-11=43(자루)

6-1 주희는 한 봉지에 7개씩 들어 있는 참외를 5봉지 샀습니다. 그중에서 6개를 먹었다면 남은 참외는 몇 개인지 구해 보세요.

(**29개**)

❖ (산 참외의 수)=7×5=35(개)
➡ (먹고 남은 참외의 수)=35-6=29(개)

6-2 상자에 빨간 구슬은 5개씩 5묶음 들어 있고, 파란 구슬은 빨간 구슬보다 7개 적게 들어 있습니다. 파란 구슬은 몇 개인지 구해 보세요.

(**18개**)

❖ (빨간 구슬의 수)=5×5=25(개)
➡ (파란 구슬의 수)=25-7=18(개)

6-3 철사의 길이는 6 cm이고 리본의 길이는 철사의 길이의 8배보다 9 cm 짧습니다. 리본의 길이는 몇 cm인지 구해 보세요.

(**39 cm**)

❖ 6의 8배는 6×8=48입니다.
➡ (리본의 길이)=48-9=39 (cm)

3주 교과

Test 교과서 **서술형 연습**

1 한 상자에 배가 3개씩 2줄 들어 있습니다. 7상자에 들어 있는 배는 모두 몇 개인지 구해 보세요.

✏ 구하려는 것, 주어진 것에 선을 그어 봅니다.

해결하기
(한 상자에 들어 있는 배의 수)=3×2
=6(개)
(7상자에 들어 있는 배의 수)=6×7
=42(개)
따라서 7상자에 들어 있는 배는 모두 42개입니다.

답 구하기 **42개**

2 어머니께서 한 상자에 2병씩 4줄 들어 있는 음료수를 8상자 샀습니다. 어머니께서 산 음료수는 모두 몇 병인지 구해 보세요.

주어진 것
구하려는 것

✏ 구하려는 것, 주어진 것에 선을 그어 봅니다.

해결하기
예 (한 상자에 들어 있는 음료수의 수)
=2×4=8(병)
(8상자에 들어 있는 음료수의 수)
=8×8=64(병)
따라서 어머니께서 산 음료수는 모두 64병입니다.

답 구하기 **64병**

3 동민이네 농장에는 닭 5마리와 돼지 7마리가 있습니다. 동민이네 농장에 있는 닭과 돼지의 다리는 모두 몇 개인지 구해 보세요.

✏ 구하려는 것, 주어진 것에 선을 그어 봅니다.

해결하기
닭 1마리의 다리 수는 2개입니다.
(닭 5마리의 다리 수)=2×5=10(개)
돼지 1마리의 다리 수는 4개입니다.
(돼지 7마리의 다리 수)=4×7=28(개)
따라서 닭 5마리와 돼지 7마리의 다리는 모두
10+28=38(개)입니다.

답 구하기 **38개**

4 공원에 세발자전거가 8대, 네발자전거가 6대 있습니다. 공원에 있는 세발자전거와 네발자전거의 바퀴는 모두 몇 개인지 구해 보세요.

주어진 것
구하려는 것

✏ 구하려는 것, 주어진 것에 선을 그어 봅니다.

해결하기
예 세발자전거 1대의 바퀴 수는 3개입니다.
(세발자전거 8대의 바퀴 수)=3×8=24(개)
네발자전거 1대의 바퀴 수는 4개입니다.
(네발자전거 6대의 바퀴 수)=4×6=24(개)
따라서 세발자전거 8대와 네발자전거 6대의 바퀴는 모두 24+24=48(개)입니다.

답 구하기 **48개**

3주 교과

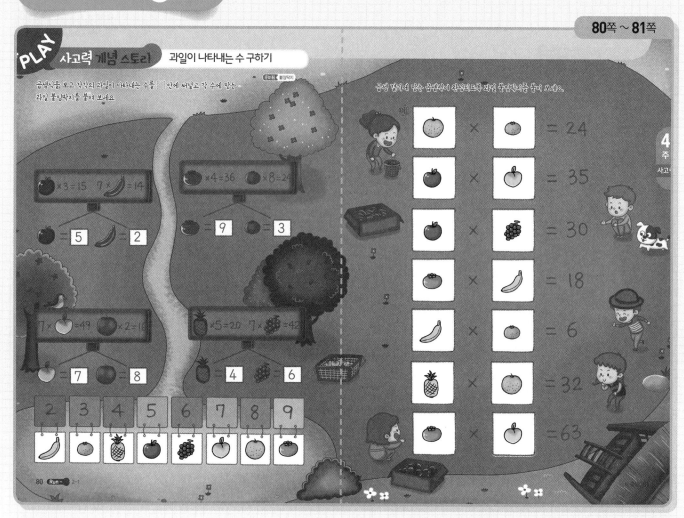

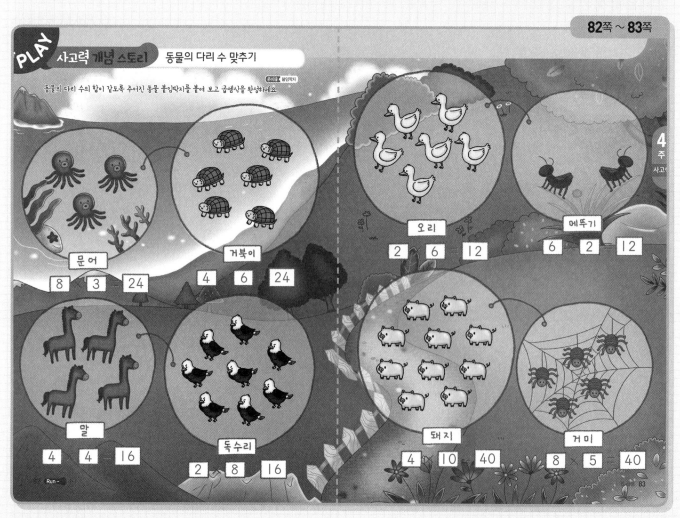

1단계 교과 **사고력 잡기**

정답과 풀이 p.21

1 규칙적인 모양이 그려진 이불 위에 고양이와 강아지가 있습니다. 어떤 동물이 있는 이불에 그려진 모양이 몇 개 더 많은지 구해 보세요.

❶ 고양이가 있는 이불에 그려진 ♥ 모양은 모두 몇 개인지 곱셈식으로 나타내고 답을 구해 보세요.

식 ___(예) 6×5=30___
답 ___30개___

❖ ♥ 모양이 6개씩 5줄로 규칙적으로 그려져 있으므로
이불에 그려진 ♥ 모양의 수는 6의 5배입니다.
➡ 6×5=30

❷ 강아지가 있는 이불에 그려진 ★ 모양은 모두 몇 개인지 곱셈식으로 나타내고 답을 구해 보세요.

식 ___(예) 8×4=32___
답 ___32개___

❖ ★ 모양이 8개씩 4줄로 규칙적으로 그려져 있으므로
이불에 그려진 ★ 모양의 수는 8의 4배입니다.
➡ 8×4=32

❸ 어떤 동물이 있는 이불에 그려진 모양이 몇 개 더 많은지 구해 보세요.

(___강아지___), (___2개___)

❖ 30<32이므로 강아지가 있는 이불에 그려진 모양이
32-30=2(개) 더 많습니다.

---

2 4장의 수 카드 중 2장을 골라 한 번씩 사용하여 두 수의 곱셈식을 만들려고 합니다. 두 수의 곱이 가장 클 때와 가장 작을 때의 곱의 합을 구해 보세요.

$$\boxed{2}\quad\boxed{8}\quad\boxed{3}\quad\boxed{5}$$

❶ 두 수의 곱이 가장 클 때의 곱셈식을 만들어 보세요.

$\boxed{8}×\boxed{5}=\boxed{40}$
$\boxed{5}×\boxed{8}=\boxed{40}$

❖ 네 수의 크기를 큰 수부터 차례로 비교하면 8>5>3>2입니다.
따라서 두 수의 곱이 가장 클 때의 곱셈식은 가장 큰 수와 두 번째로 큰 수의 곱이므로 8×5=40 또는 5×8=40입니다.

❷ 두 수의 곱이 가장 작을 때의 곱셈식을 만들어 보세요.

$\boxed{2}×\boxed{3}=\boxed{6}$
$\boxed{3}×\boxed{2}=\boxed{6}$

❖ 네 수의 크기를 작은 수부터 차례로 비교하면 2<3<5<8입니다.
따라서 두 수의 곱이 가장 작을 때의 곱셈식은 가장 작은 수와 두 번째로 작은 수의 곱이므로 2×3=6 또는 3×2=6입니다.

❸ 두 수의 곱이 가장 클 때와 가장 작을 때의 곱의 합을 구해 보세요.

(___46___)

❖ 두 수의 곱이 가장 클 때의 곱은 40이고, 곱이 가장 작을 때의 곱은 6이므로 합은 40+6=46입니다.

1단계 교과 **사고력 잡기**

정답과 풀이 p.21

3 보기 와 같이 표의 빈칸에 알맞은 수를 써넣고 곱셈식으로 나타내어 보세요.

보기

12			
3	3	3	3
4		4	4

곱셈식
$\boxed{3}×\boxed{4}=\boxed{12}$
$\boxed{4}×\boxed{3}=\boxed{12}$

3씩 4묶음→
4씩 3묶음→

❶

24					
4	4	4	4	4	4
8		8		8	

$\boxed{4}×\boxed{6}=\boxed{24}$
$\boxed{8}×\boxed{3}=\boxed{24}$

❖ · 24는 4씩 6묶음이므로 4의 6배 ➡ 4×6=24입니다.
· 24는 8씩 3묶음이므로 8의 3배 ➡ 8×3=24입니다.

❷

16							
2	2	2	2	2	2	2	2
4		4		4		4	

$\boxed{2}×\boxed{8}=\boxed{16}$
$\boxed{4}×\boxed{4}=\boxed{16}$

❖ · 2씩 8묶음이므로 2의 8배 ➡ 2×8=16입니다.
· 4씩 4묶음이므로 4의 4배 ➡ 4×4=16입니다.

❸

27								
3	3	3	3	3	3	3	3	3
9			9			9		

$\boxed{3}×\boxed{9}=\boxed{27}$
$\boxed{9}×\boxed{3}=\boxed{27}$

❖ · 27은 3씩 9묶음이므로 3의 9배 ➡ 3×9=27입니다.
· 27은 9씩 3묶음이므로 9의 3배 ➡ 9×3=27입니다.

❹

36					
6	6	6	6	6	6
9		9		9	

$\boxed{6}×\boxed{6}=\boxed{36}$
$\boxed{9}×\boxed{4}=\boxed{36}$

❖ · 36은 6씩 6묶음이므로 6의 6배 ➡ 6×6=36입니다.
· 36은 9씩 4묶음이므로 9의 4배 ➡ 9×4=36입니다.

---

4 영우는 바둑돌로 다음과 같은 모양을 7개 만들려고 합니다. 필요한 흰색 바둑돌과 검은색 바둑돌 수의 차는 몇 개인지 구해 보세요.

❶ 위의 모양을 7개 만드는 데 필요한 흰색 바둑돌은 몇 개인지 구해 보세요.

(___21개___)

❖ 모양을 1개 만드는 데 필요한 흰색 바둑돌은 3개입니다.
(모양을 7개 만드는 데 필요한 흰색 바둑돌 수)
=3×7=21(개)

❷ 위의 모양을 7개 만드는 데 필요한 검은색 바둑돌은 몇 개인지 구해 보세요.

(___14개___)

❖ 모양을 1개 만드는 데 필요한 검은색 바둑돌은 2개입니다.
(모양을 7개 만드는 데 필요한 검은색 바둑돌 수)
=2×7=14(개)

❸ 위의 모양을 7개 만드는 데 필요한 흰색 바둑돌과 검은색 바둑돌 수의 차는 몇 개인지 구해 보세요.

(___7개___)

❖ 21-14=7(개)

② 교과 사고력 확장

1 다음 도형들의 변은 모두 몇 개인지 구해 보세요.

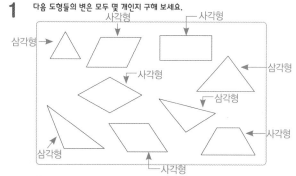

① 삼각형을 모두 찾아 변은 모두 몇 개인지 구해 보세요.
(**12개**)

❖ 삼각형 한 개의 변은 3개이고 삼각형은 4개 있으므로
삼각형의 변은 모두 $3 \times 4 = 12$(개)입니다.

② 사각형을 모두 찾아 변은 모두 몇 개인지 구해 보세요.
(**20개**)

❖ 사각형 한 개의 변은 4개이고 사각형은 5개 있으므로
사각형의 변은 모두 $4 \times 5 = 20$(개)입니다.

③ 위 도형들의 변은 모두 몇 개인지 구해 보세요.
(**32개**)

❖ $12 + 20 = 32$(개)

88 · Run- 2–1

2 동물의 다리 수가 같은 것끼리 선으로 이어 보세요.

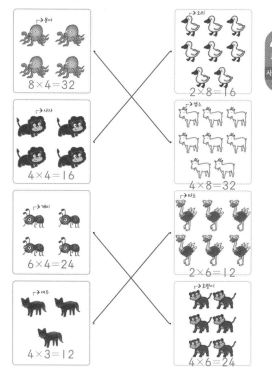

6. 곱셈 · 89

② 교과 사고력 확장

3 곱셈을 이용하여 주어진 값을 만들 수 있는 두 수끼리 모두 연결해 보세요.
(단, 떨어져 있는 수는 연결하지 않습니다.)

① ▢ 18

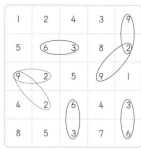

❖ 곱해서 18을 만들 수 있는 두 수는 2와 9, 3과 6입니다.
➡ $6 \times 3 = 18$, $3 \times 6 = 18$, $9 \times 2 = 18$, $2 \times 9 = 18$

② ▢ 24

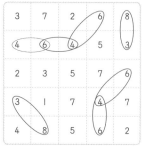

❖ 곱해서 24를 만들 수 있는 두 수는 3과 8, 4와 6입니다.
➡ $4 \times 6 = 24$, $6 \times 4 = 24$, $3 \times 8 = 24$, $8 \times 3 = 24$

90 · Run- 2–1

4 보기 에서 규칙을 찾아 빈칸에 알맞은 수를 써넣으세요.

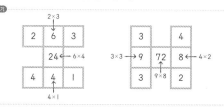

보기

	2×3						
2	6	3			3		4
	24 ← 6×4		3×3 → 9	72	8 ← 4×2
4	4	1			3	9×8	2
	4×1						

①
5	5	1
	45	
3	9	3

②
2		7
4	28	7
2		1

③
2	8	4
	48	
6	6	1

④
6		1
6	30	5
1		5

⑤
1	7	7
	56	
4	8	2

⑥
1		2
9	54	6
9		3

❖ 가로 또는 세로 방향의 세 수 중에서 가운데 수는 양쪽 두 수
의 곱입니다.

6. 곱셈 · 91

정답과 풀이 p.23

3 단계 교과 사고력 완성

평가 영역 □개념 이해력 □개념 응용력 ☑창의력 □문제 해결력

1 성냥개비로 오른쪽과 같은 모양을 7개 만들려고 합니다. 성냥개비는 모두 몇 개 필요한지 구해 보세요.

❶ 모양을 1개 만드는 데 성냥개비는 몇 개 필요할까요?
(3개)

❷ 모양을 7개 만드는 데 성냥개비는 모두 몇 개 필요할까요?
(21개)

✧ 모양을 7개 만드는 데 성냥개비는 3개씩 7묶음 필요합니다.
➜ 3×7=21(개)

평가 영역 □개념 이해력 □개념 응용력 ☑창의력 □문제 해결력

2 면봉으로 오른쪽과 같은 모양을 8개 만들려고 합니다. 면봉은 모두 몇 개 필요한지 구해 보세요.

(32개)

✧ 모양을 1개 만드는 데 면봉은 4개 필요합니다.
모양을 8개 만드는 데 면봉은 4개씩 8묶음 필요합니다.
➜ 4×8=32(개)

92 · Run 2-1

평가 영역 □개념 이해력 □개념 응용력 ☑창의력 ☑문제 해결력

3 준수는 친구들과 과녁 맞히기 놀이를 하였습니다. 준수가 맞힌 화살이 오른쪽과 같을 때 준수가 얻은 점수는 모두 몇 점인지 구해 보세요.

❶ 빈칸에 알맞은 수를 써넣으세요.

점수(점)	1	3	5	7
맞힌 화살 수(개)	7	2	5	2
얻은 점수(점)	7	6	25	14

✧ 1×7=7(점), 3×2=6(점), 5×5=25(점), 7×2=14(점)

❷ 준수가 얻은 점수는 모두 몇 점일까요?
(52점)

✧ 7+6+25+14=52(점)

평가 영역 □개념 이해력 □개념 응용력 □창의력 ☑문제 해결력

4 지희는 친구들과 주사위 던지기 놀이를 하였습니다. 지희가 주사위를 10번 던진 결과가 다음과 같을 때 지희가 얻은 점수는 모두 몇 점인지 구해 보세요.
(단, 주사위의 눈 1개는 1점을 나타냅니다.)

(40점)

✧ 눈의 수가 4인 경우가 4번이므로 4×4=16(점),
눈의 수가 6인 경우가 3번이므로 6×3=18(점),
눈의 수가 2인 경우가 3번이므로 2×3=6(점)입니다.
따라서 지희가 얻은 점수는 모두 16+18+6=40(점)입니다.

6. 곱셈 · 93

정답과 풀이 p.23

Test 종합평가   6. 곱셈   맞은 개수

1 그림을 보고 ◯ 안에 알맞은 수를 써넣으세요.

6 — 12 — 18 — 24 — 30

✧ 6씩 묶어서 세면 6-12-18-24-30입니다.

2 나비는 모두 몇 마리인지 ☐ 안에 알맞은 수를 써넣으세요.

나비는 4마리씩 6 묶음이므로 모두 24 마리입니다.

✧ 나비는 4마리씩 6묶음이므로 모두 4×6=24(마리)입니다.

3 관계있는 것끼리 선으로 이어 보세요.

7+7+7+7+7		5×8
8씩 7묶음		8×7
5의 8배		7×5

✧ • 7+7+7+7+7 ➜ 7×5
• 8씩 7묶음 ➜ 8×7
• 5의 8배 ➜ 5×8

94 · Run 2-1

4 다음을 곱셈식으로 나타내어 보세요.

(1) 4 곱하기 5는 20과 같습니다.
➜ 곱셈식   4×5=20

(2) 9 곱하기 7은 63과 같습니다.
➜ 곱셈식   9×7=63

✧ (1) 4 곱하기 5는 20과 같습니다. ➜ 4×5=20
(2) 9 곱하기 7은 63과 같습니다. ➜ 9×7=63

5 ☐ 안에 알맞은 수를 써넣으세요.

(1) 6씩 8묶음은 6 의 8 배입니다.
➜ 6 × 8 = 48

(2) 3씩 9묶음은 3 의 9 배입니다.
➜ 3 × 9 = 27

✧ (1) 6씩 8묶음 ➜ 6의 8배 ➜ 6×8=48
(2) 3씩 9묶음 ➜ 3의 9배 ➜ 3×9=27

6 도토리는 모두 몇 개인지 덧셈식과 곱셈식으로 나타내어 보세요.

덧셈식 8+ 8 + 8 + 8 =32

곱셈식 8× 4 =32

✧ 8씩 4묶음이므로 덧셈식 8+8+8+8=32로,
곱셈식 8×4=32로 나타낼 수 있습니다.

6. 곱셈 · 95

정답과 풀이 · 23

Test 종합평가 6. 곱셈

7 그림을 보고 빈칸에 알맞은 곱셈식을 써넣으세요.

❋	❋❋	❋❋❋	❋❋❋❋
5×1=5	5×2=10	5×3=15	5×4=20

✿ 꽃 한 송이에 꽃잎이 5장씩 있습니다.

8 수직선을 보고 곱셈식으로 나타내어 보세요.

곱셈식 7×3=21

✿ 7씩 3번 뛰어서 세었으므로 곱셈식으로 나타내면
7×3=21입니다.

9 도넛의 수는 아이스크림의 수의 몇 배인지 구해 보세요.

4씩 1묶음 →   ← 4씩 5묶음

(**5배**)

✿ 아이스크림은 4개씩 1묶음이고, 도넛은 4개씩 5묶음이므로
도넛의 수는 아이스크림의 수의 5배입니다.

10 그림을 보고 □ 안에 알맞은 수를 써넣으세요.

2×8=16, 4×4=16

• 2씩 묶으면 8묶음이므로 2×8=16입니다.
• 4씩 묶으면 4묶음이므로 4×4=16입니다.

---

11 계산 결과가 24인 것을 모두 찾아 기호를 써 보세요.

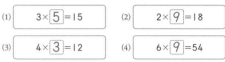

㉠ 6×4	㉡ 7×4
㉢ 5×5	㉣ 3×8

(㉠, ㉣)

✿ ㉠ 6×4=24 ㉡ 7×4=28
㉢ 5×5=25 ㉣ 3×8=24이므로 계산 결과가 24인
것의 기호를 쓰면 ㉠, ㉣입니다.

12 □ 안에 알맞은 수를 써넣으세요.

(1) 3×⑤=15   (2) 2×⑨=18

(3) 4×③=12   (4) 6×⑨=54

✿ (1) 3×5=15이므로 □=5입니다.
(2) 2×9=18이므로 □=9입니다.
(3) 4×3=12이므로 □=3입니다.
(4) 6×9=54이므로 □=9입니다.

13 대화를 읽고 준수가 읽은 동화책은 모두 몇 권인지 곱셈식으로 나타내고 답을 구해 보세요.

나는 동화책을 5권 읽었어. 지우

나는 지우의 7배만큼 동화책을 읽었어. 준수

식 5×7=35

답 35권

✿ 지우가 읽은 동화책이 5권이므로 준수가 읽은 동화책의 수는
5의 7배입니다. ➡ 5×7=35(권)

Test 종합평가 6. 곱셈

14 나타내는 수의 크기를 비교하여 ○ 안에 >, =, <를 알맞게 써넣으세요.

(1) 3의 6배 > 4씩 4묶음

(2) 7+7+7+7 > 9 곱하기 3

✿ (1) 3의 6배 ➡ 3×6=18, 4씩 4묶음 ➡ 4×4=16
(2) 7+7+7+7 ➡ 7×4=28, 9 곱하기 3 ➡ 9×3=27

15 쌓기나무 한 개의 높이는 2 cm입니다. 쌓기나무 5개의 높이는 몇 cm인지 구해 보세요.

2 cm

(10 cm)

✿ 쌓기나무 한 개의 높이는 2 cm이므로 쌓기나무 5개의 높이
는 2의 5배입니다. ➡ 2×5=10 (cm)

16 민지의 나이는 9살입니다. 이모의 나이는 민지의 나이의 3배보다 4살 더 많습니다. 이모의 나이는 몇 살일까요?

(31살)

✿ 9의 3배는 9×3=27입니다.
➡ (이모의 나이)=27+4=31(살)

17 사탕을 주아는 5개씩 6묶음 가지고 있고, 채민이는 8개씩 3묶음 가지고 있습니다. 두 사람이 가지고 있는 사탕은 모두 몇 개인지 구해 보세요.

(54개)

✿ (주아의 사탕 수)=5×6=30(개)
(채민이의 사탕 수)=8×3=24(개)
따라서 두 사람이 가지고 있는 사탕은 모두
30+24=54(개)입니다.

특강 창의·융합 사고력

1 퀴즈네어 막대는 1 cm부터 10 cm까지의 길이를 나타내는 크기와 색깔이 다른 10가지 막대로 이루어져 있습니다. 물음에 답하세요.

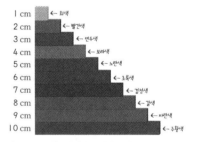

1 cm	← 회색
2 cm	← 빨간색
3 cm	← 연두색
4 cm	← 보라색
5 cm	← 노란색
6 cm	← 초록색
7 cm	← 검정색
8 cm	← 갈색
9 cm	← 파란색
10 cm	← 주황색

(1) 파란색 막대의 길이는 연두색 막대의 길이의 몇 배일까요?

(3배)

✿ 파란색 막대의 길이는 9 cm이고, 연두색 막대의 길이는
3 cm입니다. 따라서 3×3=9이므로 파란색 막대의 길이
는 연두색 막대의 길이의 3배입니다.

(2) 보라색 막대의 길이의 2배인 막대는 무슨 색 막대일까요?

(갈색 막대)

✿ 보라색 막대의 길이는 4 cm입니다. 4의 2배는 4×2=8
이므로 8 cm인 막대를 찾으면 갈색 막대입니다.

(3) 주황색 막대 1개와 초록색 막대 1개를 연결한 길이는 갈색 막대의 길이의 몇 배일까요?

(2배)

✿ 주황색 막대의 길이는 10 cm이고, 초록색 막대의 길이는
6 cm입니다. ➡ 10+6=16 (cm)
갈색 막대의 길이는 8 cm이고 8×2=16이므로
갈색 막대의 길이의 2배입니다.

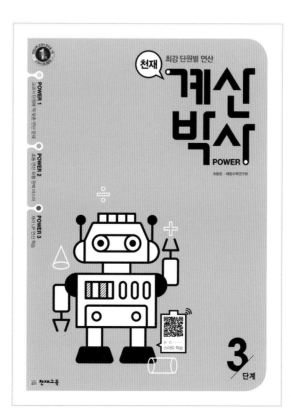

정답은
이안에
있어 !

난이도 별점
쉬움 ★
보통 ★★★
어려움 ★★★★★
최상위 ★★★★★★★

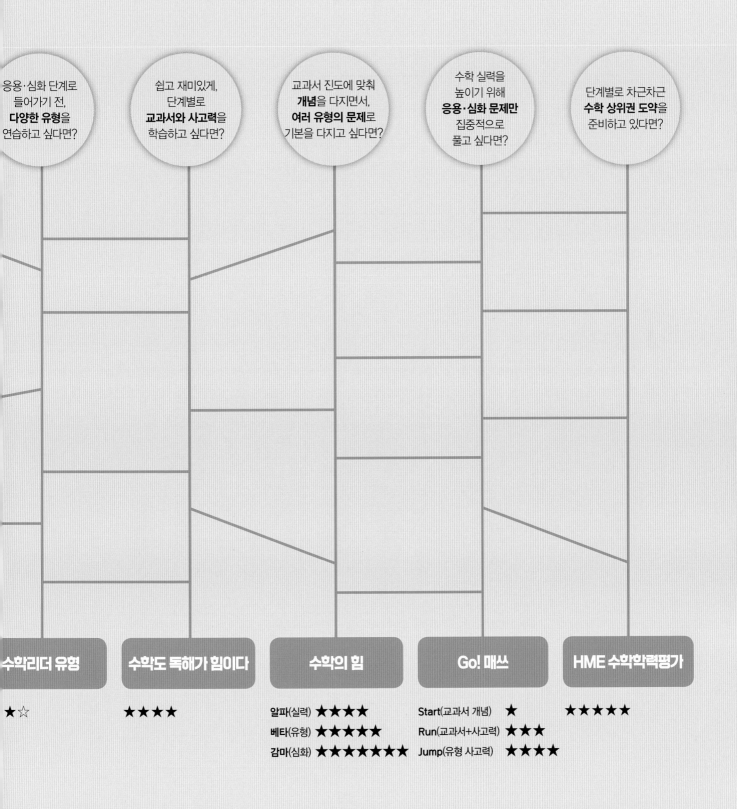

응용·심화 단계로
들어가기 전,
다양한 유형을
연습하고 싶다면?

쉽고 재미있게,
단계별로
교과서와 사고력을
학습하고 싶다면?

교과서 진도에 맞춰
개념을 다지면서,
여러 유형의 문제로
기본을 다지고 싶다면?

수학 실력을
높이기 위해
응용·심화 문제만
집중적으로
풀고 싶다면?

단계별로 차근차근
수학 상위권 도약을
준비하고 있다면?

수학리더 유형	수학도 독해가 힘이다	수학의 힘	Go! 매쓰	HME 수학학력평가

★☆

★★★★

알파(실력) ★★★★
베타(유형) ★★★★★
감마(심화) ★★★★★★★

Start(교과서 개념) ★
Run(교과서+사고력) ★★★
Jump(유형 사고력) ★★★★

★★★★★

배움으로 행복한 내일을 꿈꾸는
천재교육 커뮤니티 안내 ∙∙∙

 교재 안내부터 구매까지 한 번에!
천재교육 홈페이지

천재교육 홈페이지에서는 자사가 발행하는 참고서,
교과서에 대한 소개는 물론 도서 구매도 할 수 있습니다.
회원에게 지급되는 별을 모아 다양한 상품 응모에도
도전해 보세요.

 구독, 좋아요는 필수! 핵유용 정보 가득한
천재교육 유튜브 <천재TV>

신간에 대한 자세한 정보가 궁금하세요?
참고서를 어떻게 활용해야 할지 고민인가요?
공부 외 다양한 고민을 해결해 줄 채널이 필요한가요?
학생들에게 꼭 필요한 콘텐츠로 가득한 천재TV로 놀러오세요!

 다양한 교육 꿀팁에 깜짝 이벤트는 덤!
천재교육 인스타그램

천재교육의 새롭고 중요한 소식을 가장 먼저 접하고 싶다면?
천재교육 인스타그램 팔로우가 필수!
누구보다 빠르고 재미있게 천재교육의 소식을 전달합니다.
깜짝 이벤트도 수시로 진행되니 놓치지 마세요!